Saint-Pétersbourg

Невский проспект
Nevskiy prospekt

Saint-Pétersbourg
rien que pour vous

Déambulation infinie sur la perspective Nevski ou promenade romantique le long des canaux ? Cette « Venise du Nord », si longtemps endormie sur les rives de la Neva, s'orne désormais de ses plus beaux atours : palais baroques, théâtres néoclassiques, immeubles Art nouveau… Au premier abord, elle vous semblera familière – c'est plutôt normal puisqu'elle fut surtout bâtie par des architectes Italiens et Français – mais la magie de la lumière et de l'ambiance de Saint-Pétersbourg est unique.

Il y a le Saint-Pétersbourg impérial, celui des palais pastel penchés au-dessus des eaux noires de la Neva, celui des grands musées – Ermitage et Musée russe – où s'accrochent les chefs-d'œuvre de l'art russe et européen, celui encore des grands théâtres et opéras, berceau de la musique et de la danse russes. On y croise Pierre le Grand et la Grande Catherine, Lomonossov et Pouchkine, Serov et Repine, Tchaïkovski, Chostakovitch, Petipa…

Mais Saint-Pétersbourg est aussi une ville moderne, une cité marchande, friande de nouveautés et de consommation, de luxe et de bling-bling… C'est l'univers de la perspective Nevski où l'on défile toute la journée, pour mieux voir et être vu ; le monde tapageur des nouveaux riches, des mastodontes noirs aux vitres opaques, des boutiques de luxe et des célèbres passages, des belles altières, des restaurants et des clubs branchés.

Mais il y a encore un autre Saint-Pétersbourg, secret et intime, à l'écart de la foule pressée de Nevski prospekt. C'est le monde tranquille des canaux, des façades lépreuses et des palais décrépis, des arrière-cours pleines de vie, où se mêlent des personnages qu'on dirait tout droit sortis d'un roman de Dostoïevski. Une ville, mille visages, le temps d'un week-end !

Dans les coulisses **du guide**

Vous avez entre les mains la dernière édition de notre guide. Et dernière édition, ça veut dire quoi ? Depuis 15 ans que la collection existe, nous envoyons, systématiquement, un **auteur** sur place, à chaque nouvelle édition. Sa mission ? Dénicher des nouvelles adresses, flairer les tendances, être à l'affût des quartiers qui bougent, bref vous livrer le meilleur de la ville. Et pour les photos, c'est la même chose. Nous avons une équipe de **photographes** qui se charge de réaliser des reportages sur mesure et dédiés uniquement à la collection.

Un Grand Week-end à Saint-Pétersbourg **sur Facebook**

Retrouvez-nous sur Facebook ! Nous partageons au fil des jours les toutes dernières adresses, nos photos coups de cœur, les événements à ne pas manquer, les trucs et astuces qu'il faut connaître et surtout nous répondons à toutes vos questions. Avec *Un Grand Week-end* vous ne voyagerez plus jamais seuls…

www.facebook.com/GuidesUnGrandWeekend

Calendrier des événements
à Saint-Pétersbourg

Votre week-end à Saint-Pétersbourg est planifié. Reste à ajuster vos dates… Voici le programme des festivités de la ville, qui vous permettra de cibler au mieux votre séjour. L'affiche des événements de Saint-Pétersbourg est toujours riche mais c'est surtout en été, entre mai et juillet, qu'elle s'étoffe de spectacles, de festivals et de célébrations… Une occasion d'apprécier la ville dans un contexte plus original et particulièrement animé.

Janvier

Festival d'hiver
Entre le 25 décembre et le 7 janvier, spectacles traditionnels dans les nombreuses salles de la ville. Animations et marché de Noël.

6 et 13 janvier
Veille du Noël orthodoxe et ancien Nouvel An.

Février

Jour du Défenseur de la patrie
Le 23 février, journée des Hommes.

Mars

Journée des Femmes
Le 8 mars, on offre traditionnellement des fleurs à toutes les femmes.

Maslenitsa
L'équivalent de la chandeleur/ Mardi gras. On fête le retour du printemps avec des animations populaires et des crêpes. Grande fête populaire sur l'île Elaguine.

Avril

Pâque orthodoxe
En 2013 : 5 mai ; en 2014 : 20 avril ; en 2015 : 12 avril. Grande fête en Russie. Avec le gâteau pascal (*koulitch*), les œufs peints et le gâteau au fromage blanc (*paskha*), on souhaite la résurrection du Christ. Le soir, à partir de 22h, cérémonies avec la magistrale procession des bougies autour des églises.

Mai

Fête du Printemps et du Travail
Traditionnellement, divers défilés sur Nevski le 1er mai.

Jour de la Victoire
Le 9 mai, on porte le ruban de Saint-Georges (ruban avec rayures orange et noires) pour dire : « Je me souviens et je suis fier. » Parade sur Nevski avec les vétérans de la guerre et les élèves des écoles militaires. Vers 22h, feu d'artifice sur la Neva.

Printemps musical de Saint-Pétersbourg
Les deux dernières semaines de mai : Festival international de musique classique dans les salles de concert de la ville.

Fête de la ville de Saint-Pétersbourg
Carnaval et grande parade sur Nevski le dernier week-end de mai. Si vous arrivez

à obtenir une place dans la galerie de Gostiny Dvor, vous pourrez profiter pleinement du spectacle ; sinon, il faudra jouer des coudes. Concert sur la place du Palais, feu d'artifice et show laser sur la Neva. Attention à la foule et aux abus d'alcool !

Juin

Festival des Étoiles des Nuits blanches

L'un des plus importants festivals de musique classique, de ballet et d'opéra au monde déroule son programme exceptionnel du 1er juin au 15 juillet.

www.wnfa.org
et www.mariinsky.ru

Fête nationale de la Fédération de la Russie

Le 12 juin : beaucoup de festivités culturelles et musicales.

Les Voiles rouges

L'avant-dernier week-end de juin, concert sur la place du Palais, grand feu d'artifice et passage sous les ponts levés d'un beau voilier aux voiles rouges devant des milliers de spectateurs et surtout des écoliers qui fêtent la fin de l'année scolaire.

Stereoleto

Le festival de musiques pop, électro et rock de l'île Krestovksi présente le meilleur des scènes russe et internationale (derniers samedi et dimanche de juin).

www.bestfest.ru

Juillet

White Night Swing International Jazz Festival

Festival de jazz international. Traditionnellement dans la salle de la philharmonie, entre la fin du mois de juin et le début du mois de juillet.

Fête de la Flotte militaire russe

Le dernier dimanche de juillet, grand rassemblement de bateaux sur la Neva et feu d'artifice.

Août

Festival international de cinéma et d'animation OPEN CINEMA

Festival en plein air mi-août : courts-métrages et cinéma d'animation. Traditionnellement à la forteresse Pierre-et-Paul.

www.festival-nachalo.ru/eng

Septembre

Festival du lait

Concerts, jeux et animations autour des produits laitiers. En plein air, au milieu de l'avenue Nevski, place Ostrovskogo, le 1er ou 2e samedi de septembre.

Octobre

Festival d'accordéon

Grand festival d'accordéon le dernier week-end d'octobre. Traditionnellement à la salle de concert de la gare de Finlande.

Novembre

4 novembre

Fête de l'Unité du peuple.

Décembre

31 décembre

Le Nouvel An est l'occasion de faire la fête dehors après minuit. Beaucoup de concerts et d'animations sur Nevski et la place du Palais.

MANIFESTATIONS ET EXPOSITIONS

Pour connaître le programme des manifestations culturelles, vous pouvez vous procurer (dans les hôtels, restaurants, cafés) le magazine en anglais *In your Pocket St. Petersburg* ou consulter son site Internet : www.inyourpocket.com/russia/st-petersburg ou encore le site du *St. Petersburg Times* (www.sptimes.ru).

Consultez également directement les sites :
- Théâtre Mariinski : **http://www.mariinsky.ru/en**
- Théâtre Alexandrinski : **http://en.alexandrinsky.ru/**
- Palais de Glace : **http://www.newarena.spb.ru/**
- Musée de l'Ermitage : **http://www.hermitagemuseum.org/**
- Musée russe : **www.rusmuseum.ru**
- Erarta : **www.erarta.com**
- Centre national de la photographie : **www.rosphto.org**

L'Ermitage

LE MEILLEUR DE
Saint-Pétersbourg

Musées, monuments mais aussi balades ou activités, voici ce qu'il ne faut pas manquer à Saint-Pétersbourg. Vous retrouverez toutes ces suggestions détaillées au fil des pages de ce guide.

Musées et monuments

L'Ermitage
Voir Visite n° 4 p. 50
et « Zoom sur » p. 78-79.

Le musée Dostoïevski
Voir Visite n° 8 p. 61
et « Zoom sur » p. 80.

La forteresse Pierre-et-Paul
Voir Visite n° 9 p. 62
et « Zoom sur » p. 82-83.

La laure Alexandre-Nevski
Voir « Comprendre… » p. 37
et « Zoom sur » p. 84.

L'ensemble Smolny
Voir « Comprendre… » p. 19
et « Zoom sur » p. 85.

Le Musée russe
Voir Visite n° 2 p. 47
et « Zoom sur » p. 86-87.

Le palais Menchikov
Voir Visite n° 11 p. 68
et « Zoom sur » p. 88.

La cathédrale Saint-Isaac
Voir Visite n° 6 p. 55
et « Zoom sur » p. 89.

Balades dans les parcs et jardins

Le jardin et le palais d'Été
Voir Visite n° 4 p. 51
et « Zoom sur » p. 81.

Le jardin du palais de Tauride
Voir Visite n° 5 p. 53.

Le jardin Alexandrovski
Voir Visite n° 6 p. 54.

Les Nuits blanches

Le parc Alexandrovski
Voir Visite n° 9 p. 63.

Le parc moscovite de la Victoire
Voir Visite n° 12 p. 71.

Cimetière de Smolensk
Voir « Comprendre... » p. 37.

Vivre à l'heure de Saint-Pétersbourg

Arpenter la trépidante perspective Nevski
Voir Visite n° 1 p. 42-45.

Voir se lever les ponts sur la Neva lors des nuits blanches
Voir « Comprendre... » p. 16-17.

Refaire sa garde-robe à la mode russe
Voir Shopping p. 106-111.

Craquer pour les boîtes laquées de l'école de Palekh
Voir « Comprendre... » p. 20-21 et Shopping p. 118-119.

Passer une soirée au théâtre Mariinski
Voir Sortir p. 134.

Une soirée de jazz au JFC Jazz Club
Voir Sortir p. 135.

Partir à Saint-Pétersbourg

La meilleure saison

Il ne serait pas tout à fait exact de dire que toutes les saisons offrent le même agrément à Saint-Pétersbourg. L'automne (de mi-septembre à fin octobre), synonyme de précipitations et de premières neiges, et le printemps (fin mars-avril), époque du dégel, ne sont pas des plus agréables. La période estivale est la plus courue : dès le mois de mai, les nuits rallongent de façon

HEURE LOCALE ET VOLTAGE

Saint-Pétersbourg est à GMT + 3h, autrement dit quand il est midi à Paris, il est 14h à Saint-Pétersbourg. La Russie passe aux heures d'été et d'hiver au même moment que la France. Le courant est de 220 volts et les prises ne nécessitent pas d'adaptateur.

spectaculaire, phénomène qui culmine avec les nuits blanches (autour du solstice d'été) et donne à la ville une atmosphère particulière. En juin, juillet et août, il fait généralement beau et chaud (25 °C) mais le temps peut être très changeant d'un jour à l'autre. L'automne arrive aussi rapidement qu'il passe, et, dès novembre, l'hiver est là. Il ne faut pas en avoir peur : même si les jours sont courts et si les températures descendent en moyenne à - 15 °C, janvier et février réservent souvent un ciel pur et ensoleillé. Et puis n'oubliez pas qu'en Russie, l'hiver fait partie du décor : les palais saupoudrés de neige et les canaux gelés sont encore plus beaux !

Faire sa valise

Tout dépend évidemment de la saison, mais une chose est sûre : il vous faut des chaussures confortables et

TÉLÉPHONER À SAINT-PÉTERSBOURG

Pour appeler à Saint-Pétersbourg, composez le 00 7 812 suivi du numéro de votre correspondant (voir aussi p. 40).

prêtes à être malmenées. Vous allez en effet beaucoup marcher et les trottoirs ne sont pas toujours dans un état impeccable... En été, la poussière est reine, à l'automne et au printemps, il faut enjamber les flaques d'eau, en hiver, affronter la neige et le sel déversé sur la chaussée pour éviter le gel. À la belle saison, vous serez habillé comme en France. Ayez cependant toujours un parapluie ou un imperméable léger avec vous car la journée peut commencer sous un soleil radieux et se terminer sous une bonne averse. Dès le mois de juin, les moustiques passent à l'attaque et ils sont redoutables ! Prenez là aussi vos précautions. S'ils sont plutôt cléments à l'échelle russe, les hivers pétersbourgeois n'en sont pas moins rigoureux. Vous serez cependant étonné de voir à quel point vous supporterez le froid si vous n'avez pas oublié l'accessoire clé : un chapeau ou un bonnet. Si vous n'y avez pas pensé, la chapka devra être votre premier achat en arrivant. Il vous faudra également des chaussures étanches, des gants et des vêtements chauds que vous pourrez superposer : plusieurs pulls fins protègent mieux qu'un seul pull épais, et vous pourrez enlever une ou deux couches de vêtements dans le métro, les musées et les restaurants, souvent surchauffés. Enfin, prévoyez une tenue un peu élégante pour vous rendre à un spectacle (voir p. 126).

Comment partir ?

L'improvisation n'a pas sa place dans un voyage à Saint-Pétersbourg. Il faut en effet un **visa pour entrer en Russie**, et sa délivrance est subordonnée à une preuve d'hébergement sur place (voir Formalités p. 10). Il est donc impératif de réserver votre hôtel avant de faire la demande de visa. Vous pouvez vous en remettre entièrement à une agence qui s'occupera du billet d'avion, de la réservation d'hôtel et, la plupart du temps, moyennant un supplément – l'investissement est vraiment utile –, des formalités. Nombreux sont les voyagistes qui proposent ce

type de prestations, à des tarifs généralement similaires.

• Tsar Voyages
2 bis, rue Edouard-Jacques
75014 Paris
☎ 01 75 43 96 77
ou 09 74 76 16 26
www.tsarvoyages.com
Ce spécialiste de la destination offre le plus grand choix d'hôtels, de séjours thématiques et à la carte.

Vous pouvez aussi consulter ces agences qui offrent des formules plus classiques et des courts-séjours :
• Nord Espaces
☎ 01 45 65 00 00
www.nord-espaces.com
• Kuoni
☎ 01 42 82 04 02
www.kuoni.fr
• Voyageurs du Monde
☎ 01 42 86 17 20
www.vdm.com
• Nouvelles Frontières
☎ 0 825 000 747
www.nouvelles-frontieres.fr
• Voyages-sncf.com, première agence de voyages sur Internet, accessible

gratuit des billets à domicile, Alerte Résa pour être informé de l'ouverture des réservations, le calendrier des meilleurs prix, mais aussi des offres de dernière minute, de nombreuses promotions…
SNCF : ☎ 36 35.

• Air France propose deux vols quotidiens au départ de Roissy-Charles-de-Gaulle à destination de Saint-Pétersbourg.
☎ 36 54
www.airfrance.fr

• Rossiya, la compagnie nationale russe, assure un vol quotidien entre l'aéroport de Paris Roissy-Charles-de-Gaulle et l'aéroport de Saint-Pétersbourg Pulkovo (terminal 1).
☎ 01 48 62 59 97
www.rossiya-airlines.com

Vous pouvez aussi organiser votre voyage vous-même. Il vous faudra d'abord réserver un hôtel et récupérer auprès de

24h/24 et 7j/7, vous fait ses meilleurs prix sur les billets de train et d'avion, chambres d'hôtel, locations de voiture, séjours clés en main ou Alacarte®. Vous avez également accès à des services exclusifs : l'envoi

celui-ci l'invitation officielle ou preuve d'hébergement indispensable pour obtenir votre visa. Vous devrez ensuite déposer votre dossier de demande de visa auprès du consulat de Russie (voir Formalités p. 10).

De l'aéroport au centre-ville

Voici encore un point qu'il sera judicieux d'avoir réglé avant votre départ en demandant à votre agence de voyages un transfert aéroport-hôtel : un chauffeur muni d'une pancarte à votre nom ou au nom de l'agence vous attendra après la douane et vous conduira à bon port. Les tarifs pratiqués par les taxis sont assez fantaisistes (la plupart ne sont pas équipés de compteur) mais vous ne devriez pas payer plus de 800 R (env. 20 €) pour rejoindre la perspective Nevski, et n'hésitez pas à négocier. Il est également possible de prendre le bus n° 13 ou le minibus privé K3 (à gauche en sortant de l'aéroport), qui effectuent la navette entre entre l'aéroport et la station de métro Moskovskaïa (ligne 2) plusieurs fois par heure (trajet 15 min). Il vous en coûtera 35 R (+ 35 R par bagage). Comptez ensuite 20 min pour rejoindre la station Gostiny Dvor.

Formalités

Il faut un **visa** pour entrer sur le territoire russe. Il est délivré par le consulat de Russie moyennant un formulaire à remplir, une photo, un justificatif de domicile, une assurance médicale rapatriement valable dans le pays (renseignez-vous, toutes ne le sont pas), une invitation officielle (délivrée par votre hôtel mais souvent payante) et 35 € au minimum, à régler par carte bancaire. Votre passeport doit être valide six mois après la date de retour. Vous pouvez

effectuer la demande de visa en ligne sur le site officiel : **www.visatorussia.com** (en français). Sachez que le délai d'obtention du visa est en général de 4 à 10 jours ouvrables (35 €) mais on peut l'obtenir plus rapidement, voire dans le jour même du dépôt de la demande, mais il vous en coûtera alors 70 €. Les mois de mai, juin et juillet sont les plus recherchés pour se rendre à Saint-Pétersbourg, les services consulaires sont alors très chargés et les délais d'obtention peuvent être plus longs. Attention : une nouvelle réglementation impose un délai de 5 jours entre l'obtention du visa et l'entrée sur le territoire russe (exemple : si vous obtenez votre visa le 11 juin, vous ne pouvez vous présenter à la douane russe avant le 16 juin). Dans tous les cas, si vous optez pour une gestion par vos propres moyens de cette formalité, soyez vigilants !

Consulats :
• 40, bd Lannes
75016 Paris
☎ 01 45 04 05 01
• 5, pl. Sébastien-Brant
67000 Strasbourg
☎ 03 88 36 73 15
• 3, av. Ambroise-Paré
13008 Marseille
☎ 04 91 77 15 25
Ouv. lun.-mar. et jeu.-ven. (+ mer. à Paris) 9h-12h, sf j. f. français et russes (voir p. 11).

Douane

Des règles précises régissent la sortie du territoire russe de certaines marchandises et denrées alimentaires ainsi que leur entrée sur le territoire français. Pour connaître les produits concernés et les quantités

autorisées, reportez-vous à la p. 105. L'exportation illicite d'antiquités est lourdement sanctionnée. Des prescriptions douanières strictes concernent l'exportation des œuvres d'art et objets anciens. Ces formalités peuvent parfois se révéler longues et fastidieuses, mais elles sont absolument nécessaires (voir p. 117).

Langue

Principale langue du groupe slave oriental, le russe appartient comme le français à la famille des langues indo-européennes, mais il vous faudra fournir quelques efforts pour déchiffrer l'alphabet cyrillique (voir p. 139), qui s'écrit avec des caractères dont certains sont communs au grec. Vous serez content de pouvoir lire les noms de rues en version originale (souvent non sous-titrée), de repérer bureaux de change et musées, de déchiffrer un menu grâce au lexique (voir p. 139). Apprenez aussi quelques mots clés qui ne manqueront pas d'attirer la bienveillance de vos interlocuteurs car, eux, feront généralement un effort pour que vous les compreniez. Cependant, excepté dans les hôtels et dans les grands restaurants, ne vous attendez pas trop à être compris en français ou en anglais.

Santé

ucun vaccin n'est exigé
our entrer en Russie mais
ous devrez avoir souscrit
ne assurance valable sur le
rritoire russe pour obtenir
otre visa. Sur place, la seule
ecommandation concerne
eau. Celle du robinet n'est
n effet pas potable et, dans
s meilleurs hôtels, vous
rouverez dans la salle de bains
es bouteilles d'eau minérale
estinée à vous laver les dents.
ne précaution à suivre
ous peine de désagréments
ntestinaux. Les pharmacies
атгека) sont très bien
pprovisionnées. En cas
'urgence, adressez-vous
la réception de l'hôtel, qui
ra venir un médecin ou
ous adressera à la clinique
Iedem, oulitsa Marata 6
E4), M° Maïakovskaïa,
☎ 336 3333, où des médecins
usses parlant l'anglais vous
ideront moyennant des
arifs assez élevés (environ
équivalent de 100 € la
onsultation sans traitement),
u encore à Scandinavia,
iteïni prospekt 55 A (E4),
☎ 336 7777, où les honoraires
ont plus corrects (environ
'équivalent de 40 €).

Le rouble

'unité monétaire est le
ouble, abrégé en R, r (P,
en cyrillique), divisé en
00 kopecks. Il existe des
illets de 10, 50, 100, 500,
000 et 5 000 R, des pièces
le 1, 2 et 5 R et de 1, 5, 10
t 50 kopecks. En juin 2012,
on achetait 100 R pour
nv. 2,50 € (1 € = 40 R).
Petite astuce : pour calculer
'équivalent en euro d'un prix
n rouble, divisez-le par 4 puis
etirez un zéro.

Budget

Il est possible de dépenser
à Saint-Pétersbourg une
petite fortune en quelques
jours. Si votre budget est plus
limité, votre séjour n'en sera
pas moins agréable. Quelques
postes sont incompressibles :
en tant qu'étranger, vous
devrez vous acquitter au
musée et au spectacle d'un
droit d'entrée 5 à 20 fois
supérieur à celui des Russes,
et, à moins que vous ne parliez
parfaitement la langue tout
en possédant un physique *ad
hoc*, il vous sera absolument
impossible de passer outre.
Consolez-vous en pensant
que les institutions culturelles
ont grand besoin d'argent
pour restaurer et entretenir
toutes ces merveilles. Comptez
donc 10 € pour entrer à
l'Ermitage et env. 5 € pour
les musées secondaires. Une
place au balcon pour un
opéra au Mariinski coûte
environ 50 € (jusqu'à 105 €/
4 200 R au parterre) selon le
spectacle et le mode de résa.
Un concert à la Philharmonie
Chostakovitch coûte environ
10 €. En revanche, les
transports en commun ne sont
pas chers (environ 0,70 € le
ticket de métro). Si vous faites
preuve d'un peu de curiosité,
vous éviterez les restaurants
à touristes pour goûter une
cuisine authentique jusque
dans ses prix (voir p. 94).

Jours fériés

Les vacances du jour de
l'An (1-5 Janvier), le Noël
orthodoxe (7 Janvier), la
journée du Défenseur de la
patrie (23 Février), la journée
internationale de la Femme
(8 Mars), la fête du Printemps
et du Travail (1er Mai), la
fête de la Victoire (9 Mai), la
journée de la Russie (12 Juin)
et la journée de l'Unité
nationale (4 Novembre) sont
fériés en Russie. Si le jour de
fête tombe un samedi ou un
dimanche, il est reporté au
premier jour ouvrable de la
semaine qui suit.

S'INFORMER AVANT DE PARTIR

Il n'existe pas d'office de tourisme russe en France mais
vous pouvez vous familiariser avec la culture russe au
Centre culturel de Russie (61, rue Boissière, 75016 Paris,
☎ 01 44 34 79 79) ou surfer sur le Web :
En français :
• www.russie.net
Un site généraliste très complet qui diffuse un bulletin
d'information périodique.
• www.regard-est.com
Excellent site généraliste présentant un bon panorama
de l'actualité de la Russie à travers des articles
économiques, politiques et culturels.
En anglais :
• www.sptimes.ru
L'actualité culturelle mais aussi politique et économique
de Saint-Pétersbourg.
• www.saint-petersburg.com
Toutes les informations nécessaires pour préparer
son voyage.
• www.inyourpocket.com/russia
Une présentation en ligne des événements,
programmes et expositions à Saint-Pétersbourg.

*Maly-Koniouchenny mos[t]
(le pont des Petites-Écuries)*

Une ville
sur l'eau

Pierre le Grand avait en tête Amsterdam lorsqu'il décida de construire sa nouvelle capitale. Une chance : l'endroit, choisi pour des raisons stratégiques, était situé non loin du delta d'un fleuve dans une zone semée d'îles et de bras d'eau. Restait à domestiquer la nature, aménager les canaux, bâtir les ponts… La deuxième Venise du Nord dévoile ses charmes au fil de l'eau, et au cours de vos balades vous constaterez qu'elle n'a rien à envier à ses modèles.

Quarante-deux îles et soixante-quinze canaux

Il faut commencer par déplier une carte de la ville pour comprendre qu'elle est bâtie

Panteleïmonovski most (le pont Pantelemion)

sur une véritable mosaïque d'îles : certaines sont très grandes, d'autres minuscules, d'autres encore séparées de leurs voisines par un tout petit bras d'eau. Juste avant

de rejoindre le golfe de Finlande, la Neva se divise en trois bras : la Grande Nevka, la Petite et la Grande Neva ; c'est depuis les rives de cette dernière que les quais et leurs somptueux palais s'offrent dans toute leur majesté. Dans le centre-ville, trois canaux en demi-cercles concentriques se succèdent : la Moïka, le canal Griboïedov et la Fontanka, qui marquait à une époque la limite de la ville. Ils concentrent de nombreuses curiosités de Saint-Pétersbourg. En vous promenant dans ces lieux magiques, vous capturerez un peu de l'esprit de la ville.

La loi de la Neva

La Neva donne un charme incomparable à Saint-Pétersbourg mais aussi bien des soucis ! Le débit de ce fleuve, long de 74 km et large au maximum de 500 m, est exceptionnel (6e au rang européen). Il a longtemps constitué un véritable péril pour la ville. Le terrain plat du delta aggrave la situation : lorsque le vent d'ouest ou de sud-ouest se déchaîne, les eaux du golfe sont refoulées, empêchant l'écoulement normal du fleuve et provoquant des débordements.

Panteleïmonovski most (le pont Pantelemion), détail

La grande menace

Depuis 1703, les autorités ont enregistré deux cent quatre-vingt-huit crues du fleuve au cours desquelles les eaux sont montées de plus de 1,60 m. Aucune n'a égalé celle de 1824, qui frappa les contemporains par son ampleur : 4,21 m ! Près de 50 % des édifices de la ville furent détruits ou sérieusement endommagés ; on déplora 480 victimes selon les autorités, 14 000 selon la rumeur… Cent ans après, le cauchemar recommençait avec une crue de 3,80 m.

Près du pont Bleu (Sini most), non loin de l'hôtel Astoria, un obélisque indique le niveau des crues les plus importantes. Des travaux d'installation de digues commencés dans les années 1980 restent aujourd'hui inachevés car l'ouvrage perturbe l'écosystème… mais ils ont néanmoins permis d'éloigner la menace d'une grande inondation.

Un musée des ponts à ciel ouvert

Nécessité vitale pour relier entre elles les différentes parties de la cité, les ponts ont rapidement remplacé les systèmes de bacs. Aux ouvrages en bois bâtis jusque dans les années 1770 ont succédé les constructions en pierre, puis, avec l'âge industriel, en fer, en fonte, en acier. Voici quelques-uns

des quatre-vingts ponts à ne pas manquer : sur la Moïka, Sini most (fin XVIIIe s.), plus large que long ; sur le canal Griboïedov, Bankovski most (1826), orné de quatre griffons ; sur la Fontanka, Panteleïmonovski most (1824) et son beau décor Empire, Anitchkovski most (1715) et ses remarquables chevaux sculptés. À vous de découvrir les autres !

UNE PROMENADE SUR LES CANAUX

Découvrir la ville en sillonnant les canaux : voici l'un des grands moments de tout séjour pétersbourgeois réussi… à la condition qu'il se déroule entre fin avril et mi-octobre, car, en hiver, les eaux sont prises par les glaces. Sur la perspective Nevski, au niveau du canal Griboïedov et de la Fontanka, de nombreuses embarcations vous attendent pour un tour d'une heure à travers les principaux canaux. Seul problème : les commentaires sont exclusivement en russe. En embarquant vers 0h30, vous assisterez à la magie de l'ouverture des ponts sur la Neva. Vous pouvez aussi louer un bateau-taxi pour environ 4 000 R l'heure (à négocier) et réserver à l'avance un guide anglophone.

Monument de la Victoire, détail

De Saint-Pétersbourg à…
Saint-Pétersbourg

Le 12 juin 1991, Saint-Pétersbourg retrouvait par référendum son nom de baptême. Saint-Pétersbourg, Petrograd, Leningrad… depuis sa fondation, la ville de Pierre le Grand a changé plusieurs fois de nom, au gré de son histoire mouvementée. Aujourd'hui, elle a regagné une vraie place sur le plan national, la boucle semble bouclée.

Un véritable défi

Pierre le Grand déteste Moscou. Le tsar (1682-1725) ne garde que de mauvais souvenirs de la capitale où son enfance s'est écoulée entre les intrigues et les révoltes. En 1703, il décide de construire une ville à l'embouchure de la Neva, malgré les nombreuses objections : l'endroit est un marécage insalubre, l'ennemi suédois n'est qu'à quelques kilomètres… Mégalomanie, stratégie ?

Pierre le Grand

Le souverain aura « sa » cité, une ville à l'occidentale, tournée vers l'Europe qu'il admire. En mai 1703, les travaux commencent par la construction de la forteresse Pierre-et-Paul (voir p. 82-83).

Une nouvelle capitale pour l'Empire

Pour favoriser le développement de la cité, le tsar multiplie les décrets : tous les bateaux qui arrivent en ville doivent transporter des pierres destinées à la construction des édifices, les familles les plus riches ont ordre d'y faire construire un palais. En 1712, Saint-Pétersbourg devient officiellement la nouvelle capitale de la Russie. La ville est encore loin d'avoir sa physionomie actuelle lorsque Pierre le Grand meurt.

Les tsarines Élisabeth Petrovna (1741-1762) et Catherine II (1762-1796) achèveront son rêve.

La ville de la Révolution

À la veille de la Première Guerre mondiale, Saint-Pétersbourg est la capitale prospère d'un empire fragile. Les tsars veulent à tout

prix conserver leur pouvoir autocratique, refusant de considérer les demandes d'une opposition qui prend forme. En 1914, la ville est rebaptisée Petrograd car Saint-Pétersbourg « sonne » trop germanique. Pertes humaines considérables, problèmes de ravitaillement, travail de sape des opposants, le pouvoir ne résiste pas au conflit et Nicolas II abdique en mars 1917. En octobre suivant, le gouvernement provisoire nouvellement mis en place est à son tour balayé par la révolution bolchevik.

Leningrad la provinciale

En mars 1918, Lénine, le nouveau maître du pays, transfère la capitale à Moscou. Les bolcheviks s'étaient toujours méfiés de la capitale du Nord, brillante, intellectuelle et ouverte sur l'Europe. Le sentiment se renforce à partir de 1924, alors que Petrograd devient Leningrad après la mort du leader de la Révolution.

Le vent de répression des années 1930 n'épargne pas la ville : l'assassinat de Kirov (voir p. 65) marque le début des grandes purges lancées par Staline, le successeur de Lénine. Mais le pire est à venir : dès septembre 1941, les Allemands qui encerclent Leningrad vont lui imposer un terrible siège (voir p. 71). À partir de 1945, la ville meurtrie se relève de ses ruines ; on construit vite (et mal) dans les quartiers périphériques. Le régime s'enfonce dans une certaine léthargie, Leningrad aussi.

Un réveil difficile

L'année 1991 est décisive : l'URSS disparaît, Saint-Pétersbourg retrouve son nom. Mais l'euphorie est de courte durée. Plus que jamais, Moscou est la capitale politique, économique et culturelle du pays. Son éternelle rivale du Nord manque de moyens car les

Nicolas II

subven[...] de l'État sont en chu[...]re. Les édifices contin[...] de se dégrader, surtou[...] au poids des ans s'[...]te celui des hiver[...]ureux. Pourtant, depu[...] célébration de son [...]tenaire en 2003, Sain[...]tersbourg attire de nor[...]ux investissements étr[...]rs et voit son ex[...]onnel patrimoine a[...]ectural petit à petit r[...]uré et embelli.

CARTE D'IDENTITÉ

Saint-Pétersbourg, chef-lieu [...]e la région *(oblast)* de Leningrad, s'étend sur 600 k[...]. La ville est divisée en seize arrondissements *(raïo[...]* et compte 4,9 millions d'habitants intra-muros. C'e[...] a deuxième ville de la fédération de Russie, le pl[...] vaste État du monde (17 075 400 km^2 ; 147,4 millions d'habitants).

La magie
des nuits blanches

« Figurez-vous une atmosphère gris perle, irisée d'opale, qui n'est ni celle de l'aube ni celle du crépuscule [...]. Des ténèbres transparentes qui ne sont pas la nuit mais seulement l'absence du jour [...] ; un calme qui vous rafraîchit l'âme, une quiétude qui vous dilate le cœur [...]. » En juin 1858, Alexandre Dumas, visiblement sous le charme, est à Saint-Pétersbourg au moment des nuits blanches... Il semblerait que la magie n'en finisse pas d'opérer.

Or, plus on s'approche des pôles, moins le Soleil se lève droit sur l'horizon et plus la longueur des jours varie durant l'année. Regardez maintenant un planisphère : Saint-Pétersbourg se trouve à 60° de latitude nord. C'est évidemment en dessous du cercle polaire et la ville ne connaît de ce fait ni les nuits perpétuelles ni le soleil de minuit. En revanche,

Un phénomène naturel

Les nuits blanches, c'est d'abord un phénomène naturel que la révision de quelques notions de géographie physique aide à comprendre. La Terre décrit son orbite autour du Soleil en trois cent soixante-cinq jours durant lesquels son inclinaison change, ce qui détermine la durée des jours et des saisons.

u moment du solstice d'été
(21 juin), le Soleil descend
 peu sous l'horizon que sa
umière peut être longtemps
iffusée par l'atmosphère
errestre. Revers de la médaille,
 est à peine au-dessus de
 horizon au moment du
olstice d'hiver (21 décembre),

i bien qu'en milieu d'après-
nidi, il fait déjà nuit.
'oilà pourquoi dans les
ays du Nord, les jours d'été
emblent interminables
t les jours d'hiver,
ncroyablement courts…

Jne ambiance unique

.a période des nuits blanches,
qui culmine au solstice d'été,
'est aussi une atmosphère très
articulière. Après un hiver
nterminable et un printemps
rès court, voici enfin l'été
t sa lumière, synonyme
le vie. Les Pétersbourgeois
etrouvent alors la clarté qui
eur a tant manqué pendant de
ongs mois. À la belle saison,
vous aurez l'impression que
ous les habitants de la ville
e sont donné rendez-vous
lehors à des heures indues.
Promenades le long des
canaux et des quais, pots
aux terrasses des cafés…
petits et grands profitent

du moment. Vous-même,
dans votre chambre d'hôtel,
aurez sans doute du mal
à trouver le sommeil à 2h du
matin, malgré la fatigue de la
journée et les rideaux fermés.
L'atmosphère est chargée
d'une énergie qui n'incite
pas à dormir…

Un rendez-vous des arts et de la culture

… et cela tombe bien :
il y a alors fort à faire
à Saint-Pétersbourg.
Les nuits blanches, qui
durent officiellement de fin
mai à mi-juillet, ont aussi
donné leur nom à plusieurs
manifestations artistiques
organisées pendant cette
période. Les Étoiles des Nuits
blanches, la plus importante
et la plus renommée, est
un festival de danse et de
musique classiques qui se
déroule à travers toutes les
grandes salles de la ville.
Un programme encore plus

varié et plus exceptionnel, des
invités encore plus prestigieux :
voilà pour l'affiche.
Mais attention, les places sont
aussi nettement plus chères
que pendant le reste de l'année.
Selon le même principe et au
même moment, les amateurs
de jazz et de rock ont aussi
leurs festivals des Nuits
blanches. Les programmes
sont largement diffusés et
vous n'aurez aucun mal à être
informé (voir p. 127).

PASSERA, PASSERA PAS ?

Entre avril et octobre, la Neva, libre de glace, est
ouverte à la circulation des bateaux de gros tonnage.
Et les ponts doivent les laisser passer ! Sur les grands
axes de navigation, ils se lèvent donc successivement
à des horaires précis (renseignez-vous à votre hôtel),
offrant un spectacle captivant. Il est alors impossible de
regagner par la route le quartier de Vyborg, le quartier
de Petrogradskaïa ou l'île Vassilievski. Ne laissez pas
passer l'heure si vous logez dans ces secteurs !

L'Institut Smolny

L'église du Sauveur-sur-le-Sang

Trois siècles
d'architecture

Saint-Pétersbourg fait partie du cercle très fermé des villes qui possèdent une véritable unité architecturale. S'il n'a pas été épargné par les outrages du temps et les rigueurs du climat, son centre historique a échappé aux constructions anarchiques et peut montrer aujourd'hui un visage authentique… d'autant plus éblouissant qu'on lui a refait une beauté pour son 300e anniversaire.

Le style « Pierre le Grand »

Construite de toutes pièces, la ville a été pensée dès l'origine dans ses moindres détails. Les aléas du terrain ont parfois amené le tsar à revoir ses plans mais rien n'a jamais été laissé au hasard dans cette cité entièrement bâtie en pierre, coûteuse exception pour l'époque. Le tsar confie au Suisse Domenico Trezzini puis au Français Jean-Baptiste Le Blond le soin de tracer les plans de la future capitale : des architectes étrangers pour une ville à l'occidentale. Loin du style en vogue à Moscou, Saint-Pétersbourg se pare de perrons hollandais et de colonnes à l'antique, comme au palais Menchikov (voir p. 68 et 88).

Le XVIIIe s. : baroque et classicisme

Façades chargées de frontons, de stucs et d'atlantes musclés, débauche d'ornementations et de couleurs… les règnes

La façade du palais d'Hiver

es premières impératrices
u pouvoir après le « père
ndateur » voient triompher
e baroque et les créations du
énial Bartolomeo Rastrelli :
molny (voir « Zoom sur »
. 85), le palais d'Hiver (voir
. 50), le palais Stroganov
voir p. 42), Tsarskoïe Selo
voir p. 74). Catherine II
1762-1796) préfère plus de
obriété : les décors chargés

arc de l'État-Major sur la place
u Palais

estompent au profit de
gnes épurées, inspirées de
Antiquité. Rinaldi (palais de
Marbre ; voir p. 51), Starov
palais de Tauride ; voir p. 53),
Cameron (Tsarskoïe Selo ; voir
. 74) ont ses faveurs.

Le XIXe s. :
du style Empire
à l'historicisme
mposé par Alexandre Ier (1801-
825), vainqueur de Napoléon,
e style Empire s'inscrit dans le
rolongement du classicisme.
En 1825, Nicolas Ier charge
Carlo Rossi d'une grande
opération d'urbanisme qui est
pour beaucoup dans le visage
actuel de la ville. Le tsar estime
en effet que l'architecture
doit contribuer à affirmer sa
puissance. Résultat : la place

du Palais (voir p. 50), mais
aussi la charmante place des
Arts (voir p. 46). Vers la fin
du XIXe s., la capitale opère
à l'occasion un retour aux
sources russes : avec sa toiture
coiffée de bulbes richement
décorés, l'église du Sauveur-sur-
le-Sang (voir p. 49) n'aurait
pas dépareillé à Moscou.

Le XXe s. :
des immeubles
Art nouveau
aux préfabriqués
Saint-Pétersbourg n'échappe
pas à la vague Modern
Style qui touche toutes les
grandes villes européennes.
Fer forgé et verre, céramiques
et mosaïques, bas-reliefs et
médaillons, les immeubles
se parent d'ornements
souvent inspirés de motifs
végétaux. Le quartier de
Petrogradskaïa (voir p. 64)
qui s'est développé à cette
époque est une vraie mine
pour les amateurs ! Dans
les années 1930 et après la
Seconde Guerre mondiale,
le style monumental
« stalinien » s'impose dans
les nouvelles constructions
comme celles de l'avenue
Moskovski (voir p. 70).
Un peu plus tard, pour
répondre à une terrible crise
du logement, des quartiers
préfabriqués entiers poussent

Une maison à tourelles sur
Kamennoostrovski prospekt

comme des champignons.
Mais il y a peu de risques
que vous ayez à souffrir de
leur aspect inesthétique :
ils sont cantonnés à la
périphérie de la ville…

L'épicerie Elisseïev (voir p. 44)

DU PASSÉ, TABLE RASE ?

Signe des temps, depuis quelques années, les
monogrammes impériaux et les aigles bicéphales
retrouvent leur place au détriment des faucilles, des
marteaux et autres symboles d'un triomphe prolétarien
révolu… On discerne pourtant encore çà et là des
traces de cette époque pas si lointaine : la fresque
de l'escalier du musée d'Ethnographie (voir p. 47)
ou les grandes statues de Lénine. Il en reste encore
quelques-unes debout, notamment devant la gare de
Finlande (M° Plochtchad Lenina, ligne 1) ou sur la place
Moskovskaïa (M° Moskovskaïa, ligne 2).

Les boîtes laquées,
art et tradition

La technique de la laque est familière aux artisans russes qui produisent des plateaux en métal et de nombreux ustensiles en bois laqués. Mais les boîtes, autre grand classique des boutiques de souvenirs russes, constituent un cas à part. Ornées de motifs variés et toujours très colorés, ces véritables œuvres d'art incitent à découvrir le monde fabuleux des contes et du folklore national, la douceur des campagnes…

pièces en papier mâché. Aujourd'hui, on trouve surtou des boîtes, mais, à l'époque, or produisait selon cette techniqu de nombreux objets de la vie quotidienne et des bijoux. C'es la révolution d'Octobre qui a réellement permis à cet art de se développer : mis au chômag pour des raisons idéologiques, les peintres d'icônes se sont

Un art original

Né en Chine, l'art de la laque s'est développé en Europe à la fin du XVIIe s. En 1712, Pierre le Grand, pour son palais de Peterhof (voir p. 72), voulait déjà un « cabinet chinois »… dont il commanda les panneaux à des artistes russes. Au XVIIIe s., le procédé s'appliquait essentiellement à des objets métalliques. Plus tard sont apparues les

lors tournés vers des travaux qui nécessitaient tout leur savoir-faire et leur minutie.

Un savoir-faire préservé

La boîte est constituée de bandes de carton collées avec une pâte d'amidon, mises en forme sur un moule puis pressées. Une fois sèche, elle est imprégnée d'huile de lin chaude. Après façonnage, elle est enduite d'un apprêt et polie. C'est ensuite le moment délicat de la finition des joints : ils sont invisibles sur une boîte de qualité. L'objet est une fois encore recouvert d'une préparation, cette fois à base d'argile, et frotté à la pierre

ponce. Puis il est peint, revêtu de sept couches de laque et passé autant de fois neuf heures dans un four. Les boîtes sont alors prêtes à être livrées aux artistes. Ces derniers dessinent leurs motifs au crayon puis à la peinture blanche. Ils préparent ensuite leurs couleurs, émulsionnant fréquemment les pigments avec du jaune d'œuf. Les couleurs sont appliquées selon un ordre précis tandis que des particules de nacre ou d'or viennent rehausser certains détails. Une fois le travail terminé et la boîte signée, il reste encore à la vernir et à la polir à la main.

Des écoles et des styles

Aujourd'hui, les laques proviennent pour l'essentiel de quatre petites villes des environs de Moscou. Pour les connaisseurs, toutes ont un style particulier qui les rend identifiables au premier coup d'œil : entraînez-vous !
• Les boîtes de Palekh (1922) sont les plus nombreuses. Le fond est traditionnellement noir (dans les miniatures contemporaines, il peut être rouge, bleu sombre ou ivoire), les personnages, rehaussés d'or, aux formes allongées rappellent les icônes. Les sujets de prédilection ? La vie paysanne, le folklore, les contes et les grandes œuvres littéraires.

• Les artistes de Fedoskino, le plus ancien centre de miniatures laquées (fin XVIIIe s.), très influencés par la peinture réaliste, créent des personnages confondants de vérité, inspirés des contes populaires et des scènes de la vie quotidienne.
• À Mstiora (1931), le noir est absent. Les fonds sont bleu vif ou ocre, et la première place est donnée à la nature ; l'or est rarement utilisé, et jamais pour les personnages, qui sont secondaires.
• Dernière-née, l'école de Kholouï privilégie le monde des contes et le fantastique. Les fonds sont noirs ou dans des teintes chaudes, et les personnages généralement plus grands.

GUIDE D'ACHAT

Comme toujours, le prix est en rapport avec la qualité… et la taille, car il en existe de toutes sortes, du « timbre-poste » au grand coffret. Avant d'acheter, regardez attentivement la boîte : la finesse du dessin, l'emploi d'or, la signature (un travail traditionnel est toujours signé et daté) sont des signes qui ne trompent pas. Attention : certaines boîtes bon marché ne sont pas peintes mais recouvertes d'une image en incrustation ; le travail n'est pas forcément de mauvaise qualité mais n'a plus rien à voir avec celui des boîtes laquées.

Priatnava appetita !

Cuisine russe ? Vous allez sans doute répondre caviar, borchtch et bœuf Stroganov. Pour beaucoup, la gastronomie de ce pays se résume à ces quelques plats servis dans les restaurants russes du monde entier. Pourtant, il ne faut pas oublier que, à cheval sur deux continents, la Russie est toujours le plus vaste État du monde : un gage de richesse et de diversité !

Les soupes à l'honneur

Les menus russes frappent par l'incroyable choix qu'ils offrent en matière de soupes. Contrairement à ce que l'on pourrait penser, celles-ci ne servent pas seulement à se réchauffer durant le rude hiver… Il existe aussi une grande variété de potages froids pour la belle saison ! Goûtez donc la rafraîchissante *okrochka* (окрошка), à base de *kvas* (voir p. 27) et de légumes crus, ou le *kholodni borchtch* (voir encadré p. 99). Essayez aussi l'*oukha* (уха, soupe de poisson), la *solianka miassnaïa* (солянка мясная, à la viande, à la tomate et

au citron), le *chtchi* (щи, au chou)… et n'oubliez pas d'ajouter une grosse cuillère de crème aigre avant de déguster

Viande ou poisson ?

On consomme beaucoup de poissons d'eau douce en Russie : truite (*forel* форель), sandre (*soudak* судак), saumon (*lassos* лосось), esturgeon (*ossietr* осетр), à la chair délicate et aux œufs si recherchés. Ils constituent en effet le fameux caviar (*ikra* икра), que vous ne trouverez qu'au menu des établissements les plus chic, et à la page des hors-d'œuvre (voir encadré p. 23). En matière de viande, les premières places reviennent au porc (*svinina* свинина) et au poulet (*kouritsa* курица), préparés de trente-six façons, et notamment sous forme de *kotlety* (котлеты), c'est-

-dire panés. Les viandes
ont toujours bien cuites, en
énéral hachées ou coupées en
morceaux, et servies en sauce,
accompagnées le plus souvent
e pommes de terre (*kartofiel*
картофель) — le légume
national ! — bouillies, sautées
u en purée, ou encore de
acha (каша), gruau de
arrasin ou de millet au beurre.

es influences
du Sud… et d'ailleurs

La cuisine des anciennes
épubliques du Sud,
où dominent le mouton,
es poivrons, les aubergines
et les épices, apporte une
ouche ensoleillée à la
gastronomie locale. Essayez
es savoureuses brochettes,
hachliki (шашлыки) de
Géorgie et *kebab* (кебаб)
l'Azerbaïdjan, les feuilles
de vignes farcies (*dolmassy*
долмасы) et les mélanges
ucrés-salés d'Arménie…
En Asie centrale, les pays de
a route de la Soie sont les
ois du *plov* (плов), un régal
à base de riz, de viande et de

UN GRAND CLASSIQUE

À moins d'être invité dans une
famille, il y a peu de chances
que vous puissiez apprécier
toute la diversité des *zakouski*
(« petites bouchées »), ces
hors-d'œuvre théoriquement
destinés à faire patienter
les convives. Concombres
et champignons marinés,
salades et canapés variés,
poissons fumés, charcuteries,
petits pâtés à la viande
ou au chou… ils constituent souvent un vrai repas !
Cependant beaucoup de restaurants (dont celui de
l'hôtel Europe, voir p. 46 et 93) proposent des assiettes
de dégustation : de quoi vous faire une idée.

fruits secs. C'est aussi de là que
viennent les *manty* (манты),
grosses ravioles vapeur
farcies à la viande, cousines
des traditionnels *pelmini*
(пельмени) sibériens, servis,
eux, avec du bouillon et de
la crème.

Privés de dessert ?

Les Russes nourrissent une
véritable passion pour les
crèmes glacées (*marojenoïe*
мороженое), qu'ils

consomment à toute heure…
mais rarement après un
repas. De fait, après avoir
avalé des plats roboratifs,
il est généralement d'usage de
terminer avec un thé ou un
café, accompagné parfois de
biscuits. Les pâtisseries sont
plutôt réservées à la pause du
matin ou de l'après-midi :
les vitrines des cafés sont
remplies de grosses parts
de gâteaux recouverts de
crème aérienne. Alors, vous
déciderez-vous pour une *tort
Napoleon* (торт Наполеон,
tarte pralinée), une *charlotka*
(шарлотка, sorte de
pudding) ou une *vatrouchka*
(ватрушка, tartelette garnie
de fromage blanc) ?

Les icônes, peintures
spirituelles et œuvres d'art

En 988, le grand-prince Vladimir de Kiev décide de se convertir au christianisme byzantin, et le culte des icônes apparaît en Russie. Bientôt les souverains russes invitent à leur cour des maîtres byzantins chargés de former des artisans sur place. En 1453, les Ottomans prennent Constantinople, qui va désormais vivre sous le signe de l'islam. La Russie peut alors prétendre à la suprématie artistique en matière d'icônes. Histoires et secrets d'un objet de culte élevé au rang d'œuvre d'art.

Un outil religieux

Le mot « icône » vient du grec *eikon*, « image ». Investie d'un rôle didactique et d'une fonction liturgique dans la religion orthodoxe, l'icône est bien plus qu'une simple image pieuse. Conçu comme un enseignement théologique permettant de connaître Dieu par la beauté, l'art des icônes était à l'origine exclusivement aux mains de religieux qui travaillaient de façon anonyme, souvent organisés en ateliers. Ainsi, on reconnaît une icône à son style, caractéristique d'une des

écoles qui fleurirent dans les grandes cités russes, et non pas à la signature de son auteur, généralement absente. Seuls de rares iconographes sont sortis de l'anonymat, tels Théophane le Grec (v. 1335-v. 1405) et son élève Andreï Roublev (v. 1360-v. 1430), ou Simon Ouchakov (1626-1686).

Une technique immuable

L'iconographe choisit de préférence une planche

e peuplier ou de tilleul,
bois homogènes, tendres
t faciles à travailler, qu'il
nduit d'une colle animale
pour éviter à la peinture de
ouger. Les couleurs sont
réparées à partir de pigments
minéraux, délayés dans de
eau ou du *kvas* (boisson
ermentée à base d'orge, voir
. 27), puis mélangés à du
aune d'œuf. L'œuvre achevée
era rehaussée à la feuille
d'or puis vernie. Le dessin de
icône ne ressemble à aucun
autre. Les personnages,
oujours dotés d'un corps très
et allongé, possèdent tous de
grands yeux qui semblent fixer
elui qui le regarde, d'un
ront large et haut, synonyme

e pensée contemplative.
Le reste du décor (nature,
animaux, bâtiments, fenêtres)
est de forme et de taille
totalement fantaisistes.

Un code artistique rigoureux

Outil religieux, l'icône répond
à des canons très stricts
dictés par l'Église orthodoxe.
Chaque détail du sujet est fixé
à l'avance et aucune place
n'est laissée à l'improvisation.
Vous reconnaîtrez saint Nicolas
à ses cheveux gris et sa barbe
soignée, saint Jean-Baptiste,

à sa tignasse échevelée,
la Vierge, à son voile frappé
d'étoiles, symboles de sa
virginité ; les évêques tiennent
toujours un évangile,
les prophètes, des fleurs…
L'usage des couleurs répond lui
aussi à une symbolique précise :
le rouge et le pourpre traduisent
l'amour et la royauté, le vert,
la jeunesse, le bleu, la divinité.
Ainsi, le Christ est-il toujours
vêtu d'une tunique pourpre et
d'un manteau bleu.

Des images saintes pour chaque occasion

Les icônes font partie intégrante
de la vie des fidèles orthodoxes.

Ils les vénèrent en premier
lieu à l'église, mais ils en
gardent aussi chez eux ;
chaque famille possède
des icônes, transmises de
génération en génération.
En Russie, on les suspend
traditionnellement dans
le « bel angle » (*krasny
ougol*), une place de choix,
celle où l'on faisait asseoir
les hôtes importants…
Chaque grand événement de
la vie – la naissance d'un
enfant, le mariage, la mort –
est marqué par une icône.
Il existe aussi des petites
icônes portatives destinées
à accompagner le voyageur.

ACHETER DES ICÔNES

Avant de craquer pour une icône ancienne,
rappelez-vous qu'il n'y a quasiment aucune chance
d'obtenir les autorisations nécessaires à sa sortie
du territoire (voir p. 117). Rassurez-vous : il n'est pas
impossible de rapporter un « souvenir orthodoxe ».
Explorez attentivement les rayons de la *lavka* (лавка),
véritable boutique ou simple comptoir présent dans la
plupart des églises ouvertes au culte. Elles proposent
toujours, parmi les cierges et les livres de prières,
des icônes de fabrication contemporaine que vous
pourrez acquérir sans problème. Gardez bien le ticket
en cas de contrôle à la douane.

L'art du toast
« à la russe »

Avouons-le, la réputation de « bons buveurs »
des Russes est globalement justifiée.
Mais le cliché qui voudrait qu'ils préfèrent la
vodka à toute autre boisson se révèle erroné…
Dans le domaine des breuvages, il y en a vraiment
pour tous les goûts. Amateurs de bons vins,
buveurs de bière ou de thé, réjouissez-vous !

L'incontournable vodka

Complice idéale des toasts,
la « petite eau » est servie
très froide et bue d'un
trait. Il est recommandé de
croquer ensuite rapidement
quelque chose : un hareng,
un cornichon, voire un
morceau de pain. La recette de
cette eau-de-vie de grain (blé
ou seigle) est connue depuis
le XIVᵉ s., et sa consommation
fut longtemps encouragée par
l'État impérial dont le budget
provenait pour un tiers des
taxes sur la vente d'alcool…

On trouve de la vodka nature,
mais aussi aromatisée :
au citron (*limonnaïa*
лимонная), au piment
(*pertsovka* перцовка),
à l'herbe de bison (*zoubrovka*
зубровка)… Les productions
de la distillerie Liviz, principal
fabricant du nord de la Russie
dominent dans les boutiques
de Saint-Pétersbourg : de la
Sankt-Peterburg (Санкт-
Петербург), la moins
chère, à la Rousski Standart
(Русский Стандарт), haut
de gamme, l'éventail est large
et les prix modérés (à partir
de 60 R pour 0,25 l).

Pour les grandes occasions : vins et cognacs

L'URSS était l'un des premiers
producteurs mondiaux de vin,
et il en est resté quelque chose
en Russie ! Le vignoble de
Géorgie est considéré comme

un des meilleurs. Rapportez
u *moukouzani* (мукузани),
n rouge sec (330 R),
u du *kindzmaraouli*
(киндзмараули),
ouge demi-sec (350 R).
es productions du fameux
ignoble de Massandra,
n Crimée – par exemple
e délicieux *mouskat*
(мускат) de Livadia (150 à
80 R) ou le *champanskoïe*
(шампанское), vin
nousseux –, s'accordent
lus volontiers avec les
esserts. En Arménie,
n produit, d'après les

la Nevskoïe (Невское), une
blonde légère.

Indispensable : le thé

Aujourd'hui concurrencé
par le café, le thé est une des
autres boissons nationales.
Introduit dans le pays au
XVIIe s., longtemps cultivé en
Géorgie et dans la région de
Krasnodar, il est désormais
importé d'Inde ou de Ceylan
à plus de 90 %. Les sachets
insipides tendent hélas
à remplacer le mode de
préparation traditionnel,
directement hérité de

stations thermales abondent,
ou encore de Sibérie. La
Narzan (Нарзан) est l'une des
meilleures et des plus neutres.
Sinon, des eaux minérales
comme Sviatoï istotchnik
(святой источник),
Kliuchevaïa voda (ключевая
вода) ou Aquaminerale avec
ou sans gaz (с газом или
без газа) sont également
neutres. Autre manière de
boire de l'eau : y ajouter
des fruits. Ainsi, le *kompot*
russe n'a rien à voir avec son
homophone français puisque
c'est une décoction à base
de morceaux de fruits servie
froide. Le *mors*, lui, est une
boisson rafraîchissante faite
d'eau sucrée aromatisée aux
fruits rouges.

connaisseurs, un très bon
cognac ; testez la marque
Ararat (Арарат ; 905 R pour
0,25 l).

Pour tous les jours :
la bière

Vous verrez dans les rues de
Saint-Pétersbourg un nombre
incroyable de gens vaquer
à leurs occupations ou se
promener une bouteille de
bière à la main. Le phénomène
est d'autant plus frappant qu'il
concerne tous les âges et tous
les sexes… Mettez-vous donc
sans complexe à la Baltika
(Балтика), de fabrication
locale, qui se décline en blonde
ou brune et selon un système
de numéros qui indiquent son
degré d'alcool. Essayez aussi

l'utilisation du samovar,
consistant à préparer dans
une petite théière une infusion
très forte, plus ou moins
diluée ensuite avec de l'eau
bouillante selon les goûts.

De l'eau ?

On consomme en Russie
une grande variété d'eaux
minérales de production locale.
Souvent gazeuses et fortement
minéralisées, elles proviennent
en majorité du Caucase, où les

LE *KVAS* (КВАС) : 100 % RUSSE

Ce breuvage fermenté à base d'orge et de seigle
possède un goût qui n'est pas sans rappeler celui
du cidre. D'une teneur en alcool naturellement faible,
il entre dans la composition de certains plats, mais
surtout désaltère en toute occasion. Pas d'inquiétude :
on en donne même aux enfants !

Le théâtre Mariinski

Le berceau
du ballet russe

**Nijinski, Pavlova, Noureïev, Plissetskaïa…
les noms des danseurs russes sont connus dans
le monde entier et la réputation des grandes
compagnies nationales, comme celles du Bolchoï
de Moscou et du Mariinski de Saint-Pétersbourg
– l'ancien Kirov de Leningrad –, n'est plus à faire.
Tout a commencé dans la ville de Pierre le Grand,
peu après la disparition du tsar bâtisseur…**

La naissance de la danse classique

En 1738, la tsarine Anna
Ivanovna confie au Français
Jean-Baptiste Landé la tâche
de former les enfants du
personnel du palais afin
qu'ils puissent prendre part
aux spectacles de la cour :
la première école impériale de
ballet du pays vient de naître.
C'est un autre Français qui
donne à la danse russe ses
lettres de noblesse : en 1862,
Marius Petipa (1818-1910)
devient premier maître de

ballet du théâtre impérial
de Saint-Pétersbourg où il

a brillé comme danseur.
En collaboration avec le
compositeur Tchaïkovski,
il crée *La Belle au bois
dormant*, *Le Lac des cygnes*
ou encore *Casse-Noisette*,
devenus des classiques
du répertoire. À sa mort,
il laisse plus de cinquante
chorégraphies au nombre
desquelles *La Bayadère*
et *Raymonda*.

La compagnie des Ballets russes

Mais la méthode « Petipa »
est bientôt jugée trop rigide.
Cette fois, la nouvelle
impulsion va être donnée
par des Russes… depuis
Paris. Fondateur de la
revue *Le Monde de l'Art*
et conseiller artistique du
théâtre Mariinski, Serge de
Diaghilev (1872-1929) lance
en 1909 la compagnie des
Ballets russes, qui se fait avant

out connaître à l'étranger. Décors et costumes réalisés par des peintres (Bakst, Picasso…), musiques souvent contemporaines (Debussy, Stravinsky…), les spectacles de la troupe ne laissent personne indifférent, parfois au prix de vrais scandales, comme celui qui éclate à Paris en 1912 autour de *L'Après-midi d'un faune*.

Une « vitrine » du régime

Malgré le départ vers l'étranger des grands noms de la danse après la Révolution, il reste

Petrouchka, *d'Igor Stravinsky, interprété par les Ballets russes*

Nijinsky dans L'Après-midi d'un faune

encore des artistes pour reprendre le flambeau en Russie. La ballerine Agrippina Vaganova (1879-1951) devient ainsi directrice du conservatoire de danse de Leningrad, pépinière du théâtre Mariinski, rebaptisé Kirov en 1935. Son école perpétue la tradition la plus académique et forme une grande partie des danseurs qui font la fierté du régime. Ce n'est qu'à partir de 1956 que les pays occidentaux découvrent les compagnies soviétiques ; leur virtuosité technique fait forte impression, tout comme le passage derrière le rideau de

fer de certains artistes tels que Rudolf Noureïev (1961) ou Mikhaïl Barychnikov (1974), tous deux formés à Leningrad.

Un chorégraphe à part : Boris Eifman

Depuis la disparition de l'URSS, les compagnies russes souffrent de la diminution des crédits qui leur étaient alloués… et d'un certain conformisme. Si leur perfection technique n'est jamais mise en cause, on leur reproche souvent leur manque d'inventivité. Un créateur contemporain sort cependant du rang. Boris Eifman, issu de l'école Vaganova, a fondé sa compagnie à Leningrad en 1977. Soucieux de combiner danse et art dramatique, il n'a cessé de produire les spectacles les plus

originaux que l'on puisse voir en Russie, en totale rupture avec la tradition en vigueur. Évocation du destin de la ballerine Olga Spessivtseva, sa *Giselle rouge*, créée en 1997, a eu un succès retentissant. À Saint-Pétersbourg, sa troupe se produit au théâtre situé oulitsa Gagarinskaïa 32 (16), M° Tchernychevskïa, ☎ 578 5039, www.eifmanballet.ru

LE MUSÉE DE L'ART THÉÂTRAL

Le nom donné à ce petit musée voisin de l'école de danse Vaganova ne doit pas vous tromper. Vous y découvrirez une jolie collection dédiée à l'art théâtral au sens large puisque le ballet et l'opéra sont au programme. Affiches, photos, maquettes de décors, costumes et objets personnels font revivre un instant les grands moments de la scène artistique pétersbourgeoise.

Музей театрального искусства
Plochtchad Ostrovskovo 6 (18)
M° Gostiny Dvor – ☎ 571 2195
T. l. j. 11h-18h, mer. 13h-19h ; f. mar. et dernier ven. du mois.

Nikolaï Gogol

Promenades littéraires

Création parfaite pour les uns, monstre de pierre né d'un esprit malade pour les autres, Saint-Pétersbourg est, par son histoire et sa personnalité, une héroïne à part entière. Écrivains russes ou étrangers, Pétersbourgeois de naissance ou d'adoption, résidents permanents ou visiteurs, une conclusion s'impose : la cité n'a laissé personne indifférent !

Pouchkine

Le plus célèbre des poètes russes (1799-1837) est né à Moscou, mais il fit ses années d'apprentissage au lycée de Tsarskoïe Selo (voir p. 74). À Saint-Pétersbourg, on visite l'appartement où il rendit son dernier soupir après avoir été mortellement blessé en duel (voir p. 48). Il a abondamment décrit la ville dans son roman en vers *Eugène Onéguine,* histoire d'un jeune dandy oisif qui va souvent se coucher au moment où la cité s'éveille… Mais c'est dans son fameux *Cavalier de bronze* (voir p. 54) qu'il s'exprime le mieux l'amour ambigu qui caractérise les sentiments généralement nourris à l'égard de la ville de Pierre…

Gogol

Originaire d'Ukraine, Nikolaï Gogol (1809-1852) monte à la capitale avec l'espoir d'y faire reconnaître son talent. Il loue un temps un appartement situé au n° 17 de la rue Malaïa Morskaïa et connaît l'existence difficile des employés médiocres qu'il a si bien évoquée dans les nouvelles des *Récits de Pétersbourg*. Toutes ont pour cadre cette « ville excentrique, étrange et sans racines » et racontent des histoires tragi-comiques où se mêlent le fantastique et le quotidien.

La datcha de Pouchkine à Tsarskoïe Selo

Piotr Kontchalovsky, Alexandre Pouchkine à sa table de travail

Le Journal d'un fou et *Le Manteau* décrivent l'univers rétréci de deux fonctionnaires pitoyables. *La Perspective Nevski,* tableau coloré de la principale artère de la ville, révèle au final son caractère trompeur et superficiel. Si vous en avez l'occasion, lisez ce chef-d'œuvre de causticité avant votre départ... et vous ne vous y promènerez pas de la même manière !

Dostoïevski...

Certains romans de Dostoïevski (1821-1881) se prêtent au même exercice. L'écrivain, natif de Moscou, a passé une grande partie de sa vie à Saint-Pétersbourg où il est mort. Replongez-vous dans *Crime*

et Châtiment et emboîtez le pas à Raskolnikov pour une descente dans les bas-fonds de la ville, dans le périmètre de la place Sennaïa (voir p. 60). À l'opposé, vous pourrez connaître les villégiatures de la haute société qui, dans *L'Idiot,* prend ses quartiers

La tombe de Fedor Dostoïevski

d'été dans les belles datchas de Pavlovsk (voir p. 76).

... et les autres

Si nombreux ! Impossible de ne pas évoquer la poétesse Anna Akhmatova (1888-1966) ; elle a célébré la beauté de la cité et vécut les heures noires de la répression, un temps où « comme une breloque inutile, Leningrad pendait aux murs de ses prisons » : **musée Akhmatova,** Liteïny prospekt 53 (E4) ; M° Maïakovskaïa ; ☎ 579 7239 ; www.akhmatova.spb. ru ; mar. et jeu.-dim. 10h30-18h30, mer. 13h-21h ; entrée plein tarif 200 R. Le génial Vladimir Nabokov (1899-1977), qui naquit rue Bolchaïa Morskaïa dans une riche famille aristocratique et quitta le pays en 1919. Catalogué « écrivain américain d'origine russe », il n'a jamais oublié sa première patrie, qu'il évoque dans nombre de ses écrits : **musée Nabokov,** Bolchaïa Morskaïa oulitsa 47 (G8) ; M° Admiralteïskaïa ; ☎ 315 4713 ; www.nabokovmuseum. org ; mar.-ven. 11h-18h, sam.-dim. 12h-17h).

Les grandes heures
de Fabergé

Si les orfèvres et les joailliers russes jouissent d'une flatteuse réputation dès le XVIIIᵉ s., Carl Fabergé, dont le génie s'épanouit dans les années 1880, éclipse sans conteste tous ses devanciers. Ses créations d'un luxe inouï font de lui la coqueluche de la cour impériale et de la haute société jusqu'à la Révolution… qui le condamnera à l'exil.

La saga des Fabergé

Tout commence avec un descendant d'émigrés huguenots d'origine française, Gustave Fabergé, qui ouvre en 1842 un modeste atelier de joaillerie à Saint-Pétersbourg. Son fils aîné, Peter Carl (1846-1920), suit la tradition paternelle. Les années 1880 marquent les débuts de l'ascension de la firme : l'inspiration de Fabergé se fait de plus en plus personnelle. Un style est né, qui combine

les apports de la tradition byzantine et son génie de la couleur, l'Art nouveau et ses élégances aériennes, et le savoir-faire des créateurs d'icônes, le tout servi par une maîtrise technique impeccable.

Un cadeau pascal

En 1885, Fabergé a l'idée de proposer au tsar Alexandre III un étonnant cadeau pour son épouse Maria Feodorovna : un œuf d'émail translucide incrusté d'argent, d'or et de pierres précieuses. Le succès est immédiat : nommé fournisseur de la cour impériale, le joaillier déploiera

...des trésors d'imagination ...pour proposer, onze années ...durant, un nouveau modèle ...l'œuf. Jusqu'à la Révolution, ...Nicolas II perpétuera la ...tradition en faveur de sa ...mère et de son épouse. ...Aux cinquante-quatre œufs ...de la collection impériale ...s'ajoutent plusieurs centaines ...d'autres, réalisés pour de riches ...clients, en Russie et ailleurs.

étuis à cigarettes, animaux miniatures portent la marque d'une perfection jamais démenti. À l'origine de celle-ci, la conviction que la force d'un objet réside dans ses qualités propres : l'originalité et l'ingéniosité de la création, sa qualité d'exécution, le choix et la manière de travailler les matériaux.

Un esprit toujours vivant

Les révolutions de 1917 sonnent le glas de cet âge d'or : Carl Fabergé prend le chemin de l'exil et s'éteint en Suisse en 1920. Les objets authentiques produits par Fabergé atteignent rapidement, du fait de leur rareté, des cotes vertigineuses. Si les faux pullulent, de nombreuses copies, qui s'avouent comme telles, sont en vente, et il est possible d'en acquérir dans les magasins de souvenirs pétersbourgeois. La grande tradition n'est cependant pas tout à

fait éteinte : Théo Fabergé commercialise ses propres créations dans l'esprit de son illustre ancêtre ; l'Allemand Victor Mayer, propriétaire de la marque Fabergé – une licence exclusive d'exploitation –, s'est spécialisé dans la création d'œufs commémoratifs. À Saint-Pétersbourg, le joaillier Iakhont (voir p. 112) est l'un de ceux qui perpétuent la tradition, sans le faste qui fut la marque de Fabergé.

Des pièces uniques

Chacun de ces œufs est unique, et remarquable autant pour la richesse des matériaux employés – or, argent, cristal, transparent ou coloré, émail, pierres précieuses et semi-précieuses – que par son caractère d'objet de curiosité : il n'est pas rare que l'œuf soit évidé pour laisser découvrir un minutieux chef-d'œuvre d'orfèvrerie, comme la reproduction du Transsibérien avec tous ses wagons ou encore celle du palais Alexandrovski à Tsarskoïe Selo !

Luxe et raffinement

Tous les objets qui sortent des ateliers Fabergé sont empreints du même raffinement : bijoux, pièces de services de table, boîtes, bonbonnières,

L'ŒUF DE PÂQUES, TRADITION RUSSE

La tradition d'offrir des œufs décorés au moment de la Pâque, la plus grande fête du calendrier orthodoxe, aurait une raison pratique : éviter de perdre le produit des pontes, interdit de consommation en période de carême… En Russie, l'œuf se décline de multiples manières : œuf de poule peint, œuf de verre, de porcelaine, de bois, d'argent, d'or… Le don s'accompagne toujours d'une accolade et de trois baisers. Les femmes portent ensuite en collier les œufs offerts.

Mikhaïl Glinka

Aux sources de
la musique classique russe

Pays de forte tradition musicale, la Russie
compte un grand nombre de compositeurs,
d'instrumentistes, de chefs d'orchestre, d'artistes
lyriques de renommée internationale.
On y chante volontiers, on y pratique fréquemment
un instrument… La musique fait réellement
partie de la vie et de l'indéfinissable « âme
russe ». Pour les spécialistes, les choses ont,
une fois encore, pris forme à Saint-Pétersbourg…

Glinka, le « père »
de la musique russe

Comme dans les domaines
de l'architecture et de la
danse, les tsars firent, sous
l'influence de Pierre le
Grand, largement appel
aux étrangers en matière
musicale. Ce n'est qu'à partir
du XIXe s. qu'une véritable
école nationale commença
à émerger sous l'influence de
Mikhaïl Glinka (1804-1857).
Formé à Saint-Pétersbourg

La tombe d'Alexandre Borodine

mais aussi en Allemagne et en
Italie, il fut en effet le premier
à combiner les thèmes
populaires de la chanson russe
et les traditions musicales
européennes. Une belle statue
honore sa mémoire devant le
conservatoire, fondé en 1862
(voir p. 59). Au centre d'une
immense activité créatrice,
cette institution prestigieuse
a vu défiler tous les grands
noms de la musique russe…

Le groupe des Cinq

… à commencer par Nikolaï
Rimski-Korsakov (1844-1908),
qui lui a donné son nom et
dont on peut également voir
la statue devant le bâtiment.
Le compositeur contribua à la
création du groupe des Cinq,
une association informelle née
à Saint-Pétersbourg dans les
années 1860. Son ambition ?

ansposer en musique
« idéal nationaliste ».
vec Mili Balakirev (1837-
910), Modest Moussorgski
1839-1881), César Cui
835-1918) et Alexandre
orodine (1834-1887),
utodidactes comme lui,
développa une nouvelle
pproche de la composition,
ffranchie des contraintes
cadémiques occidentales.
irecteur du conservatoire,
imski-Korsakov a formé des
ompositeurs aussi importants
u'Igor Stravinsky (1882-
971) et Serge Prokofiev
1891-1953).

L'intérieur du théâtre Mariinski

gor Stravinsky

Folklore, histoire
et littérature

es compositeurs du XIXᵉ s.
e sont pas allés chercher
rès loin les thèmes de leur
nspiration : les contes
opulaires (*Sadko, Le Coq
d'or*, Rimski-Korsakov),
es grands épisodes historiques
La Vie pour le tsar,
Glinka ; *Le Prince Igor*,
Borodine ; *Boris Godounov*,
Moussorgski) et les œuvres
najeures de la littérature
nationale (*Rousslan et
Ludmilla*, Glinka ;
*Eugène Onéguine, La Dame
de pique*, Tchaïkovski,
ous d'après Pouchkine)
ont nourri leur créativité et

rendu leurs compositions
– pour beaucoup des opéras –
accessibles à un public déjà
familier de leurs sujets.

L'opéra :
un art populaire

C'est là une spécificité russe :
l'opéra est un divertissement
véritablement populaire,
y compris pour le plus jeune
âge. Vous serez surpris de
voir à quel point les jeunes
garçons dans leurs costumes
de velours et les petites filles en
robes à dentelles sont attentifs
et fiers de passer une soirée
au Maly ou au Mariinski, les
deux grands théâtres de la
ville (voir p. 133 et 134). La
plupart des opéras, quelle que
soit leur langue d'origine, sont

chantés en russe. *La Traviata*
ou *La Flûte enchantée*
en russe, une hérésie ? Peut-
être, mais au moins le public
local comprend ! Aujourd'hui
pourtant, l'augmentation du
coût de la vie met ce genre
de sortie hors de portée de
beaucoup d'amateurs…

LA MUSIQUE DANS LA VILLE

• Beaucoup des grands compositeurs reposent au
cimetière de la **laure Alexandre-Nevski** (voir « Zoom sur »
p. 84) mais pour les retrouver « vivants », mieux vaut
visiter, par exemple, l'appartement de Fedor Chaliapine
(1873-1938), la voix de basse russe la plus célèbre (voir
p. 65).

• Le **musée de la Vie musicale** permet de découvrir,
dans le cadre du palais Cheremetiev, une superbe
collection d'instruments traditionnels : naberejnaïa
reki Fontanki 34 (17), Mᵉ Gostiny Dvor ou Maïakovskaïa ;
☎ 272 4441 ; mer.-lun. 11h-19h (f. caisse 18h), entrée
plein tarif 250 R.

• Évidemment, rien ne remplace une sortie à l'opéra
ou à un concert (voir p. 132-134) : ne vous privez pas !

Le parc moscovite de la Victoire

La ville verte, à la découverte
des parcs et jardins

Construite dans une région quasi vierge
d'occupation humaine, Saint-Pétersbourg s'est
développée au sein d'une nature très présente.
Aujourd'hui encore, la forêt et la campagne
se trouvent aux portes de la cité. Dans la ville
même, les espaces verts sont bien plus nombreux
qu'on pourrait le croire à première vue.
Il faut savoir les trouver…

Les « jardins de ville »

Comme dans tant d'autres
agglomérations, l'urbanisation
a progressivement grignoté
de nombreux espaces boisés
dans la ville. Comme le palais
Menchikov (voir p. 68 et
88), la plupart des grandes
demeures aristocratiques ont vu
disparaître leur parc d'origine ;
le palais d'Été (voir p. 51 et
81), le palais de Tauride (voir
p. 53) ou encore le palais
Mikhaïlovski (voir p. 47 et
86-87) demeurent de rares

exceptions. Il reste cependant
un certain nombre d'espaces
verts destinés dès leur création
à un usage collectif : le Champ-
de-Mars (voir p. 51), le parc
Alexandrovski (voir p. 63) ou le
jardin Alexandrovski, derrière
l'Amirauté (voir p. 54) en sont
des exemples. Sans compter les
innombrables petits squares
que vous découvrirez au gré
de vos promenades…

Des îles-jardins

La topographie de Saint-
Pétersbourg a permis
l'aménagement d'immenses

Le jardin Mikhaïlovski

spaces verts périphériques, notamment dans les îles septentrionales du delta de la Neva. Accessibles à partir du bout de l'avenue Kamennoostrovski (voir p. 64) en traversant le pont du même nom (Каменноостровский мост) ou depuis le métro Tchornaïa Retchka (ligne 2) puis en prenant le pont Ouchakovski (Ушаковский

мост), l'île Kamenny (« de pierre ») et l'île Elaguine, avec leurs nombreux plans d'eau, sont des lieux de promenade pleins de charme. Autrefois siège des résidences secondaires des familles les plus riches – le palais Elaguine, la résidence des Dolgoroukov ou la maison Polovtsov, toujours visibles –, ces îles cachent aujourd'hui les datchas des nouveaux riches, tout aussi luxueuses mais mieux dissimulées !

Les grands parcs

Pour atteindre l'île Krestovski (« de la Croix »), voisine des deux précédentes et sans doute encore plus populaire avec sa plage et ses nombreux équipements sportifs, descendez au métro Krestovski Ostrov (ligne 1). Vous voici tout près de l'entrée

du parc maritime de la Victoire (Primorski park Pobedy). Aménagé au lendemain de la Seconde Guerre mondiale par des volontaires venus y planter chacun un arbre en souvenir du blocus, il abrite le stade Kirov, le plus grand de Saint-Pétersbourg avec ses 75 000 places. Tout au sud de la ville, le parc moscovite de la Victoire (voir p. 71) a été créé à la même époque et selon le même concept.

Des espaces verts inattendus

Saint-Pétersbourg réserve bien des surprises et celle-ci n'est pas la moindre : pour beaucoup, les espaces verts les plus agréables de la ville sont les cimetières. Vous aurez sans doute apprécié ceux de la laure Alexandre-Nevski (voir « Zoom sur » p. 84), aussi intéressants que plaisants. Mais leur situation

Le cimetière de Smolensk

au sein d'un périmètre limité et leur vocation de « panthéon » du monde des Arts les rendent plutôt atypiques. Pour voir un cimetière russe ordinaire, rendez-vous plutôt sur l'île Vassilievski, au cimetière de Smolensk : Smolenskoïe kladbiche (B3), M° Primorskaïa, ligne 3. Les tombes sont enfouies sous une végétation exubérante, au milieu des bouleaux, l'arbre national, reconnaissable entre tous avec son tronc blanc et ses feuilles argentées. Les personnes que vous croiserez ne sont généralement pas venues honorer un défunt ; elles traversent, rêveuses, ce parc hanté par les souvenirs et... un certain nombre d'hôtes farouches : écureuils roux et martres des pins.

LE PARC D'ATTRACTIONS DIVO OSTROV

Créé en 2003 sur le territoire du parc maritime de la Victoire (Primorski park Pobedy), le parc n'a cessé de se développer, avec plus de 50 attractions aujourd'hui. Petits et grands viennent s'amuser au grand air et profiter de concerts gratuits le week-end. On prend un billet à la journée (adulte w.-e. 2 100 R, semaine 1 700 R ; enfant 1 100 R) ou bien on paie pour chaque attraction (de 50 à 250 R l'attraction), l'accès au parc est gratuit.
Oulitsa Riukhina (B1) – M° Krestovski Ostrov
☎ 323 9707 – www.divo-ostrov.ru
Parc ouvert tte l'année
Attractions : mi-avril-sept. 11h-22h.

Visiter **mode d'emploi**

Se déplacer

En métro

Le réseau compte 5 lignes de métro et fonctionne de 5h45 à 0h15 environ. Pour voyager, vous aurez le choix entre les jetons ou les pass magnétiques. Les jetons (*jetoni*) s'achètent aux caisses ou aux distributeurs automatiques à l'intérieur des stations. Ils sont valables pour un seul voyage (27 R en juin 2012). Pour un séjour de plusieurs jours, mieux vaut se procurer le pass magnétique *Padorojnik*, l'équivalent d'un porte-monnaie électronique débité lors de chaque voyage. Il est également utilisable dans les bus et les trolleybus, c'est l'avantage mais les trajets ne sont pas moins chers. Il s'achète 51 R aux caisses, à

vous ensuite de le charger (caisses ou distributeurs automatiques) selon vos besoins (comptez 200 R pour deux jours, 300 R pour trois jours, etc.). Si vous n'utilisez que le métro, choisissez alors le *Mnogarazovy proezdnié bilieti*, un pass de 10 (*deciat*, 210 R) ou 20 (*dvatssat*, 400 R) voyages, disponible aux caisses également. Dans les stations et sur les plans du métro, les inscriptions en cyrillique sont doublées d'une transcription latine bien utile pour trouver la bonne route. Petite originalité russe, les stations portent un nom différent selon la ligne sur laquelle elle se trouve : ainsi Nevski Prospekt et Gostiny Dvor ne sont qu'une seule et même station, la première est située sur la ligne 2, la

seconde sur la ligne 3. Idem pour Sadovaïa, Sennaïa Plochtchad et Spasskaïa, situées respectivement sur les lignes 5, 2 et 4. Une fois les portes du wagon fermées, une voix annonce la prochaine station desservie. Ne soyez pas paniqué si vous devez faire un changement, les choses sont plus simples qu'il n'y paraît. Attention : la sortie de la station Nevski Prospekt est

SE REPÉRER

Grâce aux repères indiqués à côté de chacune des cartes du chapitre Visiter, retrouvez toutes les balades sur la carte générale de la ville placée en fin de guide (sauf les balades 13, 14 et 15, situées p. 72, 74 et 76 – voir verso du plan général).

...ermée pour travaux jusqu'en juin 2013, utilisez donc la sortie Gostiny Dvor.

En bus, en tram, en trolley

Le prime abord, en l'absence de plan aux arrêts, bus, trams et trolleys sont plus compliqués à utiliser que le métro. Ils sont pourtant essentiels car les stations de métro étant très éloignées les unes des autres, seuls bus, trams et trolleys permettent de couvrir la distance intermédiaire.

Pour remonter ou descendre Nevski prospekt de la place du Palais (Ermitage) à la place Alexandre Nevski (et la Laure), empruntez les bus n°s 24, 27 ou 191 ou les trolleybus n°s 1 et 22 ; de la place du Palais à la place Vosstania seulement, les bus n°s 3, 7, 24, 27 et 191 ou bien les trolleybus n°s 1, 5, 7 et 11. Pour parcourir la rue Sadovaïa, du jardin d'été et du château des Ingénieurs au jardin Youssoupov, en passant par Sennaïa Plochtchad, empruntez le bus n°49. Les trolleybus n°s 3, 8 et 15 permettent de rejoindre le quai Koutouzov (E3) à partir de Nevski prospekt en passant par Liteïny prospekt. Les bus n°s 10 et 191 et le trolleybus n°7 relient Nevski prospekt à l'île de Petrograd (forteresse Pierre-et-Paul). Les bus n°s 7 et 24 ou les trolleybus n°s 1, 10 et 11 relient Nevski prospekt à l'île Vasilievski (Palais Menchikov, Kunstkamera, Musée Erarta).

Si vous êtes munis d'un pass *Padorojnik*, validez simplement votre carte à la borne (bus) ou présentez-là au *conductor* (trolleybus). Sinon, achetez directement auprès de lui un ticket à l'unité (23 R en juin 2012).

En taxi

Impossible d'édicter de règle en la matière. Rares sont les taxis équipés de compteur, et même dans les véhicules « officiels », surmontés du panonceau réglementaire, la course sera généralement négociée avant le départ. N'hésitez pas à marchander ou à changer de véhicule si le prix demandé vous paraît trop élevé. Une autre solution consiste à pratiquer le stop payant, comme les Pétersbourgeois. Tendez le bras dans la rue et une voiture s'arrêtera dans la minute qui suit. Énoncez votre destination, le conducteur proposera un prix, généralement moins élevé que celui d'un taxi.

Louer une voiture

Voilà sûrement l'une des plus mauvaises idées que vous pourriez avoir ! Saint-Pétersbourg est une ville étendue mais les sites d'intérêt touristique sont plutôt concentrés. Les quartiers « excentrés » et les palais

des environs sont très bien desservis par les transports publics. Il est toutefois possible de louer un véhicule avec ou sans chauffeur. Adressez-vous à votre hôtel ou bien à Europcar : Centre Novotel, Maïakovskovo oulitsa 3A (E4), ☎ 719 6240.

Courrier

La poste russe a mauvaise réputation. Mais s'il est vrai que les lettres à destination de la Russie n'arrivent pas toujours à bon port, le sens inverse fonctionne bien. Pour poster votre courrier, rendez-vous dans les bureaux de poste qui se signalent par leur enseigne ronde bleue, dans laquelle s'inscrit en blanc deux cors de chasse surmonté d'un aigle à deux têtes. Les horaires d'ouverture varient selon les bureaux. Par exemple, celui qui se

trouve oulitsa Kazanskaïa 4 (H7), près de la cathédrale de Kazan, est ouvert lun.-ven. 8h-20h, sam. 9h-18h. La poste centrale (voir p. 56) située Pochtamtskaïa oulitsa 9 (G8), ouverte t. l. j. 24h/24, comporte, à la différence des autres bureaux, des indications en anglais pour savoir à quel comptoir vous rendre. Les kiosques de souvenirs situés dans les hôtels vendent également des timbres lorsqu'ils proposent des cartes postales.

Une autre solution consiste à s'adresser au *business center* d'un grand hôtel. Là, il y a toutes les chances que votre courrier soit envoyé à destination via la Finlande, dans des délais nettement plus courts mais à un prix beaucoup plus élevé (minimum 50 R une lettre pour l'Europe contre 15 R à la poste).

Téléphoner

Pour appeler Saint-Pétersbourg depuis la France, composez le 00 7 812 et le numéro de votre correspondant. Pour appeler la France depuis la Russie : 00 33 et le numéro de votre correspondant sans le 0 initial. Avec l'arrivée massive des téléphones portables, les cabines téléphoniques orange ont presque disparu, et celles qui restent ne permettent pas d'appeler à l'étranger. Appeler de sa chambre d'hôtel peut s'avérer très pratique mais les tarifs sont élevés. Reste la poste, la solution la moins chère : rendez-vous de

---

DU WIFI PARTOUT !

Le smartphone, c'est parfait pour téléphoner en France, gratuitement et sans limitation de temps, grâce aux réseaux Internet sans fil (WIFI) disponibles à peu près partout (hôtels, musées, restaurants, cafés, galeries marchandes, etc.). Il suffit de passer votre appel via Viber ou Skype à condition que votre interlocuteur aie le même logiciel. Vous pourrez également télécharger les applis gratuites des grands musées et bénéficier d'un complément multimédia lors de votre visite (L'Ermitage : Hermitage Museum ; Musée russe : RM Guide). Pensez également aux établissements des chaines Coffee House (Кофе Хауз, Nevski prospekt 7/9 (H7), Mᵒ Nevski Prospekt, (570 4774, t. l. j. 24h/24) ou Costa Coffee (Ligovski prospekt 26/38, Litera A, Mᵒ Plochtchad Vosstania, (640 7260, t. l. j. 10h-23h).

---

préférence à la poste centrale (voir rubrique Courrier) où vous remplirez un papier avec le numéro que vous demandez et vous prépaierez votre temps de communication. Si vous n'avez pas utilisé tout votre crédit, la différence vous sera remboursée à la fin de la conversation.

Internet

Pour consulter vos e-mails, mieux vaut vous rendre dans

NUMÉROS UTILES

• **Consulat de France :** Naberejnaïa reki Moïki 15 (H6)
Mᵒ Nevski Prospekt
☎ 332 2270
Lun.-ven. 9h30-13h et 14h-17h
Numéro d'urgence en dehors des heures d'ouverture :
☎ 939 7042.
• **Police :** ☎ 02
• **Pompiers :** ☎ 01
• **Objets trouvés :** Bolchaïa Monetnaïa oulitsa 16 (E3)
☎ 336 5109
Lun.-ven. 10h-17h.

l'un des nombreux cybercafés qui ont fleuri partout en ville (Cafe Max, Nevski

prospekt 90/92 (E4), 2ᵉ et 3ᵉ étages, Mᵒ Maïakovskaïa, ☎ 273 6655, t. l. j. 24h/24. Si vous disposez d'un ordinateur ou d'un Smartphone, vous pourrez bénéficier du Wifi gratuit un peu partout (Voir encadré Du Wifi partout !).

Changer de l'argent

Vous trouverez facilement des distributeurs automatiques pour retirer des roubles au moyen de votre carte ancaire, mais votre banque ourra vous facturer une ommission (env. 3 %). e la même manière, les aiements par carte bancaire euvent être payants (env. % de commission et 1 € de rais fixes). Renseignez-vous uprès de votre banque. es bureaux de change (обмен валюты) se gnalent tous en affichant l'extérieur le taux qu'ils ratiquent. La plupart es hôtels disposent d'un omptoir de change. Les taux arient peu d'un endroit l'autre. Dans certaines fficines, on prélèvera ne somme forfaitaire par ansaction (en moyenne 0 R) ; dans d'autres non, nais dans ce cas le taux e change sera légèrement noins avantageux. Gardez l'esprit que ces variations ont minimes, tout comme 'est le montant des ommissions, et ne perdez as de temps à essayer de hercher le meilleur taux.

Musées

n tant qu'étranger, vous levrez vous acquitter d'un rix d'entrée supérieur à elui que paiera un citoyen le la Fédération de Russie voir p. 11). Le prix des billets our l'Ermitage et le Musée russe est comparable à celui lu Louvre. Les autres musées ont vraiment bon marché nais la muséographie parfois vieillotte et les dépliants et audioguides en français ou anglais plutôt rares. La barrière de la langue ne doit pas vous arrêter : même si vous ne comprenez pas les panneaux en russe, es visites sont rarement

décevantes. Presque partout, les détenteurs de la carte internationale d'étudiant ont droit à une réduction. Si vous souhaitez prendre des photos ou filmer à l'intérieur du musée, vous devrez verser un droit pour pouvoir utiliser vos appareils, en plus du billet d'entrée. En général, les musées ferment au moins un jour par semaine et souvent un jour par mois en plus. Les caisses ferment une heure avant la fermeture du musée : n'espérez pas entrer à 17h10 dans un musée qui clôt ses portes à 18h !

Sécurité

Vous ne craignez rien de plus à Saint-Pétersbourg que dans n'importe quelle autre métropole occidentale. Éviter les signes ostentatoires de richesse, ne pas changer d'argent à la sauvette, faire attention aux pickpockets dans les lieux les plus touristiques, avoir avec soi les coordonnées de son hôtel

en cyrillique : ces simples précautions suffisent. De même, vous pouvez utiliser les transports en commun ou rentrer à pied tard le soir en n'ayant, en principe, rien à craindre.

Méfiez-vous plutôt des voitures et traversez toujours dans les clous ou prenez les passages souterrains obligatoires lorsqu'ils se présentent. Quant à la « mafia » que les médias occidentaux évoquent volontiers, là non plus, aucune inquiétude à avoir : elle ne s'intéresse en aucun cas au « simple touriste » que vous êtes…

INFORMATIONS TOURISTIQUES

• **Infoline en français** : ☎ 300 3333
Il existe plusieurs bureaux touristiques, et si la documentation que vous y trouverez est limitée, les employés sont compétents et parlent l'anglais (parfois le français).
Les points d'information sont situés place du Palais, place Saint-Isaac et place Vosstania (t. l. j. 10h-19h) ou place Sennaïa (Sadovaïa oulitsa 37, M° Sennaïa Plochtchad, ☎ 310 2822, lun.-ven. 10h-19h, sam. 12h-18h).
Vous trouverez aussi un bureau de tourisme dans les hôtels où l'on vous proposera tous les services pour faciliter votre séjour. Évidemment, ces prestations se paient et le prix d'une place de spectacle prise par le biais d'une agence est majoré. Si votre temps est vraiment compté, n'hésitez pas à vous adresser à ce type d'organisme. Sinon, il est tout à fait possible de se débrouiller par ses propres moyens.

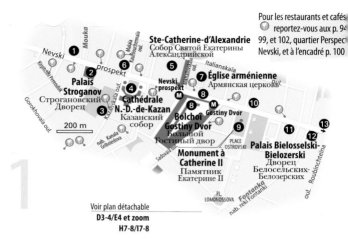

Pour les restaurants et cafés reportez-vous aux p. 94, 99, et 102, quartier Perspective Nevski, et à l'encadré p. 100

Ste-Catherine-d'Alexandrie
Собор Святой Екатерины Александрийской

Nevski

Mouka

prospekt

Palais Stroganov
Строгановский Дворец

Cathédrale N.-D.-de-Kazan
Казанский собор

200 m

Église arménienne
Армянская церковь

Nevski prospekt

Bolchoï Gostiny Dvor
Большой Гостиный двор

Gostiny Dvor

PLACE OSTROVSKI

Palais Bielosselski-Bielozerski
Дворец Белосельских-Белозерских

Monument à Catherine II
Памятник Екатерине II

Voir plan détachable
**D3-4/E4 et zoom
H7-8/I7-8**

La perspective Nevski,
« âme » de la cité

Où que vous soyez dans la ville, quoi que vous fassiez, vos pas vous ramèneront immanquablement vers la perspective Nevski, la principale artère de Saint-Pétersbourg. Longue de 4,5 km, elle relie l'Amirauté à la laure Alexandre-Nevski et concentre la même animation qu'à l'époque où Gogol la décrivait comme la « Reine de beauté » de la capitale. Les fonctionnaires impériaux ont disparu mais la foule des badauds, sûrs de trouver ici ce qu'ils cherchent, est toujours là !

❶ Literatournoïe Kafé★★

Литературное кафе
Nevski prospekt 18
☎ 312 6057
www.litcafe.su
T. l. j. 11h-1h (23h l'hiver)
Menu entre 1 000 et 1 200 R.

L'ancienne pâtisserie Wolf et Béranger est un arrêt obligé dans le « pèlerinage » Pouchkine : c'est en effet ici que, le 27 janvier 1837, l'écrivain retrouva son ami Danzas, son témoin lors du duel qui allait lui être fatal.

Surfant sur la vague littéraire, un honnête café-restaurant occupe le lieu depuis 1985 ; des formations de musique de chambre s'y produisent souvent en soirée.

❷ Le palais Stroganov★★

Строгановский дворец
Nevski prospekt 17

595 4248
un. 10h-18h, mer.-dim.
0h-17h
ntrée plein tarif : 350 R.

npossible de manquer cet
mmense palais couleur pêche
e style baroque, dont le
ronton est frappé aux armes
e la famille Stroganov. Il a été
onstruit par Rastrelli en 1753
our cette puissante dynastie
ropriétaire de mines dans
Oural et en Sibérie. Filiale du
lusée russe, le palais abrite
galement un musée de figures
e cire et des expositions
emporaires. La cour héberge
n magasin de chocolats et
n agréable café-restaurant,
he Stroganoff Yard (t. l. j.
0h-minuit), très fréquenté
ar les touristes.

❸ Galerie photo Rachmaninov★★

Kazanskaïa oulitsa 5
☎ 312 9558
www.fotorachmaninov.ru
Mar.-sam. 12h-20h.

Si vous avez la curiosité de
découvrir les multiples visages
de la Russie d'aujourd'hui,
arrêtez-vous à la galerie
photo de Yuri Gurchenko. Il
y accueille le meilleur de la
photographie documentaire
russe, des reportages de
Nikolaï Andreev sur la Russie
religieuse à ceux d'Andreï
Stroganov sur le monde
ouvrier. La galerie organise
une exposition par mois et

vous pourrez même repartir
avec votre photo coup de
cœur (env. 100 € selon le
photographe). Épatant !

❹ La cathédrale Notre-Dame-de-Kazan★★

Казанский собор
Kazanskaïa plochtchad
T. l. j. 9h-19h30
Horaires des offices affichés
à l'entrée
Accès libre.

Avec son dôme de 76 m de
hauteur et ses 96 colonnes
en hémicycle, la cathédrale
conçue par Voronikhine pour
Paul Ier est particulièrement
imposante. Elle est directement

inspirée de la basilique
Saint-Pierre de Rome, tandis
que la porte du portique
nord est l'exacte réplique
de la porte du Paradis du

baptistère de Florence.
La Vierge miraculeuse de
Kazan, icône protectrice des
Romanov, y a longtemps été
conservée avant d'être dérobée
en 1904, ce que beaucoup
interprétèrent comme un
mauvais présage…

❺ L'église catholique Sainte-Catherine-d'Alexandrie★★

Собор Святой Екатерины
Александрийской
Nevski prospekt 32/34
(accès dans la cour à droite)
Messes notamment
lun.-ven. 8h30 et 19h
en russe ; dim. 9h30 en
anglais, 13h30 en polonais,
17h en français
Accès libre.

Réalisé d'après les plans
de Vallin de La Mothe, cet
édifice, achevé à la fin
du XVIIIe s., est l'église
catholique romaine la plus
importante de la ville. Elle
est née de la volonté de
Pierre le Grand, qui désirait
que tous ses sujets, quelle
que fût leur confession,
aient des lieux de culte pour
se recueillir. On raconte
même que le tsar fut le
parrain du premier enfant
de la paroisse, baptisé
en 1716. À l'intérieur repose
Stanislas Poniatovski,
le dernier roi de Pologne,
à qui Catherine II vouait
de tendres sentiments…

❻ DOM KNIGUI★★

L'immeuble Singer, construit par Paul Suzor de 1902
à 1904, est aujourd'hui occupé par la célèbre Maison
des livres. C'est l'un des premiers exemples en Russie de
l'utilisation d'une structure métallique, ce qui a permis
d'ouvrir de grandes baies et d'apporter à l'édifice
beaucoup de luminosité. Notez, dans la première
salle, les colonnes ioniques en malachite, le plafond à
caissons et, dans la seconde, le plafond voûté appuyé
sur des corniches. Café sympa sur place !

Дом Книги
Nevski prospekt 28 – ☎ 448 2355 – T. l. j. 9h-minuit.

7 L'église arménienne★★

Армянская церковь
Nevski prospekt 42
T. l. j. 9h-21h
Accès libre.

Cette ravissante église turquoise et blanc est dédiée à sainte Catherine. Construite dans le style classique par Iouri Velten en 1780, c'est l'un des deux lieux de culte de rite arménien de Saint-Pétersbourg. Fermée comme tant d'autres dans les années 1930, elle a subi de profondes dégradations, perdant ses peintures et son iconostase d'origine. Rendue au culte en 1993, elle a pu être restaurée grâce aux dons de la communauté arménienne.

8 Bolchoï Gostiny Dvor★★★

Большой Гостиный Двор
Nevski prospekt 35
☎ 710 5408
T. l. j. 10h-22h.

La « cour des Marchands » est un immense ensemble de galeries où se succèdent magasins et kiosques en tout genre (voir p. 121). Toutes les villes russes anciennes possèdent leur « Gostiny Dvor », de plus ou moins grande taille. Celui de Saint-Pétersbourg a été construit par Rastrelli et Vallin de La Mothe entre 1761 et 1785, après que les commerçants, las de voir leurs éventaires en bois partir régulièrement en fumée, se cotisent pour s'offrir des

boutiques plus solides. Il est déjà arrivé que des ouvriers, effectuant des travaux sur les lieux, retrouvent des magots enfouis par les marchands d'autrefois.

9 Le monument à Catherine II★★

Памятник Екатерине II.
Face à l'épicerie Elisseïev, dans l'agréable square connu des Pétersbourgeois comme le « petit jardin de Catherine », se dresse une monumentale statue de la tsarine (1873), entourée de quelques personnalités marquantes de son règne, parmi lesquelles le prince Potemkine (voir p. 53), le maréchal Souvorov, vainqueur de Napoléon, le comte Orlov (voir p. 51) et Ekaterina Dachkova, la première présidente de l'Académie des sciences de Russie.

10 L'épicerie Elisseïev★★★

Магазин Купцов Елисеевых
Nevski prospekt 56
☎ 456 6666
http://kupetzeliseevs.ru
T. l. j. 24h/24.

Comme votre promenade sera longue, autant faire une pause café-macaron (env. 150 R) sur la rotonde de la célèbre épicerie de luxe Elisséiev. D'autant plus que le fameux bâtiment art nouveau, construit par Baranovski en 1903, brille comme un sou neuf après deux ans de restauration. Vous aurez tout loisir

d'admirer ses vitrines opulentes : pâtisseries, chocolats, fromages, charcuterie, glaces, sans oublier le caviar Béluga qui ici s'échange 10 000 R les 100 g (env. 250 €) !

⓫ Le palais et le pont Anitchkov★★

Аничков дворец и мост
Nevski prospekt 39
Ne se visite pas
Accès libre à la cour.

Premier palais en pierre édifié sur la perspective Nevski de 1741 à 1754 selon les plans de Zemtsov et Rastrelli dans un style baroque, il doit son nom à l'ingénieur qui jeta un des premiers ponts sur la rivière Fontanka. En 1935,

l'ancienne résidence impériale devint le palais des Pionniers et c'est aujourd'hui le principal centre de création et de loisirs de la ville pour enfants. Le pont, situé à côté du palais, avec ses grilles élaborées et ses imposantes statues équestres, œuvres de Piotr Klodt, date du début du XVIIIᵉ s. et servait de douane avant l'entrée dans la ville.

⓬ Le palais Bielosselski-Bielozerski★★

Белосельский-Белозерский
дворец
Nevski prospekt 41
☎ 315 5236
www.beloselskiy-palace.ru
Entrée plein tarif : 300 R
Sam. à 14h.

En 1848, les princes Bielosselski-Bielozerski prirent possession de leur incroyable palais rococo construit par A. Stakenschneider. Est-ce la couleur rose saumon, les

atlantes musclés, les pilastres corinthiens ou la situation qui séduisirent le grand-duc Serge ? Le gouverneur de Moscou en fit en tout cas l'acquisition en 1884. Plus tard, le palais fut le siège local du parti communiste avant de devenir le centre culturel de la ville. Il abrite un musée du Développement de la démocratie, dédié à A. Sobtchak, ancien maire de la ville.

⓭ Tatiana Parfionova Modny Dom★★

Татьяна Парфенова
Модный Дом
Nevski prospekt 51
☎ 713 3669
www.parfionova.ru
T. l. j. 12h-20h.

Depuis sa première collection en 1995, Tatiana Parfionova a été reconnue dans son pays mais également sur les podiums du monde entier. Certaines de ses créations sont même entrées dans les musées. Vous trouverez ainsi des tenues signées Tatiana Parfionova au Musée russe. La maison réalise chaque année quatre collections dont les modèles sont pour la plupart cousus main. Les matières sont magnifiques, les détails très raffinés… mais c'est évidemment excessivement cher.

2

Voir plan détachable
D3-4 et zoom H7-I7

Pour les restaurants reportez-vous aux p. 95 et 100, quartier Place des Arts.

La place des Arts,
havre de calme et de culture

Bordée de théâtres et de musées, cette jolie place, dessinée par Carlo Rossi au début du XIXe s. et restaurée dans son esprit d'origine, forme un îlot de sérénité à deux pas de la bouillonnante perspective Nevski. Rendez-vous des intellectuels, foyer culturel et artistique depuis ses débuts, l'endroit est aussi l'occasion d'une promenade pleine de charme parmi d'anciens palais entourés de verdure.

❶ L'hôtel Europe★

Отель Европа
Mikhaïlovskaïa oulitsa 1/7
☎ 329 6000.

Voué à toutes sortes d'usages collectifs à l'époque soviétique, l'ancien palace de la ville a retrouvé sa splendeur au cours des années 1990, lorsqu'une firme finlandaise s'est penchée sur son sort. Véritable ville dans la ville avec ses restaurants, ses boutiques et ses services (poste, e-mail…), il mérite une visite pour

son décor rococo très réussi, quoiqu'un peu trop rutilant.

❷ La Philharmonie Chostakovitch★★

Филармония им. Д.Д. Шостаковича
• Grande Salle : Mikhaïlovskaïa oulitsa 2
• Petite Salle : Nevski prospekt 30
Tickets : ☎ 571 8333
www.philharmonia.spb.ru

Haut lieu de la vie musicale pétersbourgeoise, la Philharmonie occupe ancien hôtel de la Noblesse de la ville (1839), qui a accueilli jusqu'à la Révolution les manifestations de la Société des concerts. Dans la superbe salle des Colonnes (la Grande salle) au décor blanc et or, Wagner et Berlioz ont dirigé leurs œuvres, Isadora Duncan a dansé. Aujourd'hui encore, c'est ici que les artistes russes et étrangers se produisent en priorité lorsqu'ils sont à Saint-Pétersbourg. La Petite Salle, elle, accueille plutôt des concerts de musique de chambre.

❸ Le Musée russe - Palais Mikhaïlovski★★★

Русский музей
Михайловский дворец
Injenernaïa oulitsa 4
☎ 595 4248
www.rusmuseum.ru
Mer.-lun. 10h-18h (lun. 17h)
Entrée plein tarif : 350 R.
Voir « Zoom sur » p. 86-87.

Le palais Mikhaïlovski et l'aile Benois constituent le cœur des collections du Musée russe et la meilleure des introductions à l'art russe. Inauguré en 1898, enrichi des œuvres nationalisées à la Révolution, le fonds permet de faire connaissance avec

le patrimoine artistique national, de l'art des icônes à l'avant-garde des années 1920.

❹ Le musée russe d'Ethnographie★★

Российский
Этнографичесский музей
Injenernaïa oulitsa 4/1
☎ 570 5421 ou 5662
www.ethnomuseum.ru
Mar.-dim. 10h-18h ;
f. dernier ven. du mois
Entrée plein tarif : 350 R.

L'ancien musée d'Ethnographie des peuples de l'URSS est l'endroit idéal pour qui veut appréhender l'incroyable diversité ethnographique de l'ancien Empire russe et soviétique. Toute une série de vitrines et de scènes reconstituant la vie quotidienne permettent de découvrir costumes, ustensiles et habitats de peuples qui ne nous sont guère familiers. Des Nenets aux Kalmouks, des Evenks aux Khantys : exotisme garanti !

❻ Le musée Brodski★★

Музей-Квартира И.И. Бродского
Plochtchad Iskousstv 3
☎ 314 3658
Mer.-dim. 12h-19h (f. des caisses 18h)
Accès payant.

Installé dans l'ancien appartement d'Isaac Brodski (1883-1939), ce musée présente, à travers des pièces garnies de meubles et de souvenirs du peintre, des œuvres secondaires de grands maîtres russes – Repine, Serov, Makovski, Koustodiev… – rassemblées pour la plupart par Brodski. À l'étage, on peut découvrir des toiles de l'artiste, dans son ancien atelier : certaines bien connues, comme ses allégories du régime soviétique, d'autres moins, comme ses paysages de campagne.

❺ BRODIATCHAÏA SABAKA, ART PODVAL★★

« Le chien errant » a rouvert ses portes en 2001. Cette « cave artistique » a fait son retour dans le milieu de la bohème pétersbourgeoise après plus de quatre-vingts ans d'absence ! Voisin du théâtre Maly, tout proche du théâtre de la Comédie, le lieu fut, dans les années 1910, l'un des rendez-vous privilégiés de la communauté artistique. C'est aujourd'hui tout à la fois un excellent restaurant russe aux prix très abordables, un salon de thé et une salle de spectacle où se produisent en petit comité chansonniers et musiciens. Le programme des manifestations est affiché à l'extérieur et dans le hall.

Бродячая собака Арт Подвал
Plochtchad Iskousstv 5 – ☎ 312 8047
T. l. j. 11h30-23h30.

3

Écuries impériales
Конюшенное Ведомство

Église des
écuries impériales

200 m

Maison-musée
Pouchkine
Музей-Квартира
А.С. Пушкина

KONIOUCHENNAÏA
PLOCHTCHAD

nab. Reki Moïki

Koniouchennaïa oul.

Volinski per.

Moïka

Bol. Koniouchennaïa

Nevski prospekt

Kanal Griboïedova

nab. Kanala Griboïedova

Église du Sauveur-
sur-le-Sang
Храм Спаса-на-Крови

Fontanka

Sadovaïa oul.

Château
des Ingénieurs
Инженерный
замок

Klenovaïa oul.

Injenernaïa oul.

Karavannaïa oul.

Voir plan détachable
D3/E3 et zoom
H6-7/I6-7

Pour les restaurants
reportez-vous à la p. 95,
quartier Du côté de chez
Pouchkine.

Du côté de
chez Pouchkine

**La Moïka, premier des canaux à croiser la
perspective Nevski lorsqu'on vient de la Neva, offre
des points de vue dignes d'un Saint-Pétersbourg
d'Épinal : jolis ponts et anciens palais s'y succèdent
harmonieusement pour composer un décor encore
plus beau que celui que vous avez pu imaginer.
Comme si souvent dans la ville, cette promenade
est chargée d'histoire : vous y retrouverez le grand
Pouchkine et deux tsars au destin tragique.**

❶ La maison-musée
Pouchkine★★

Музей-Квартира А.С.
Пушкина
Naberejnaïa reki Moïki 12
☎ 571 3531
Mer.-lun. 10h30-18h (f. des
caisses 17h) ;
f. dernier ven. du mois
www.museumpushkin.ru
4 à 6 visites guidées par
jour, horaires au guichet
Entrée plein tarif : 200 R.

Ce bel hôtel particulier
de style classique fut
le dernier domicile

d'Alexandre Pouchkine
(voir p. 30). C'est ici que

l'écrivain emménagea en
septembre 1836, cinq mois
avant le duel qui devait lui
coûter la vie. L'appartement
a été fidèlement reconstitué
en 1925, à partir des notes
laissées par son ami Joukovski.
La visite du cabinet de
travail est fort intéressante :
la bibliothèque et ses quatre
mille quatre cents volumes
en quatorze langues,
le bureau, la pendule, arrêtée
à l'heure de la mort de
l'écrivain, le divan sur lequel
il rend l'âme composent
un décor émouvant.

❷ Stolle★

Штолле
Koniouchenni pereoulok 1/6
☎ 312 1862
www.stolle.ru
T. l. j. 9h-21h.

Une atmosphère intime et chaleureuse règne en permanence dans ce petit café-restaurant plein de charme. Sur fond de photographies du Saint-Pétersbourg du début XXe s. et d'une douce musique jazz, laissez-vous tenter par les délicieux *pirojki* salés et sucrés à commander au comptoir ou bien à table. Le menu propose aussi divers plats russes traditionnels d'un bon rapport qualité-prix.

❸ L'église et les écuries impériales★

Конюшенное Ведомство
Les écuries ne se visitent pas
Église : entrée place
Koniouchennaïa, t. l. j.
9h-19h.

Ce bâtiment rose saumon reconstruit en 1820 par Stassov abritait les écuries impériales, vaste ensemble réunissant des stalles, un manège, des entrepôts et même une église. C'est dans celle-ci qu'eurent lieu le 1er février 1837 les obsèques très discrètes de Pouchkine, les autorités redoutant alors les débordements populaires. C'est la seule partie ouverte au public, le bâtiment étant en cours de rénovation pour accueillir, dit-on, une nouvelle galerie marchande.

❹ L'église du Sauveur-sur-le-Sang★★★

Храм Спаса-на-Крови
(Église de la Résurrection)
Naberejnaïa kanala
Griboïedova
Mai.-sept. : t. l. j. 10h-19h ;
oct.-avr. : t. l. j. 11h-19h
(f. des caisses à 18h)
Entrée plein tarif : 320 R.

Construit entre 1883 et 1907 dans le style néorusse, l'édifice est inspiré de la cathédrale Basile-le-Bienheureux de Moscou. Le tsar Alexandre III le fit ériger à l'endroit où son père Alexandre II périt lors d'un attentat en 1881. L'autel se trouve précisément à l'endroit où le souverain rendit son dernier soupir, ce qui fut, pour les bâtisseurs, un tour de force : ils durent modifier le tracé des environs de l'église ! Le bâtiment fut laissé à l'abandon pendant la période soviétique et a rouvert ses portes en 1998, après une restauration qui dura vingt-cinq ans. Débauche de couleurs et de matériaux, l'intérieur est éblouissant : plus de vingt pierres différentes (lapis-lazuli, malachite, jaspe…) ont servi à créer les quelque 7 000 m² de mosaïques qui couvrent les murs.

❺ Le château des Ingénieurs - Musée russe★★

Инженерный замок
Sadovaïa oulitsa 2
☎ 570 5112
www.rusmuseum.ru
Mer.-dim. 10h-18h, lun. 10h-17h (f. des caisses 1h avant)
Entrée plein tarif : 300 R.

Cette forteresse fut construite sur ordre du tsar Paul 1er (1796-1801), qui en conçut lui-même les plans. C'est ici que le fils de Catherine II fut assassiné, seulement 40 jours après y avoir emménagé. Cette filiale du Musée russe accueille aujourd'hui des expositions temporaires mais vaut surtout le détour pour ses salles d'apparat et ses galeries conçues par l'architecte italien Brenna au tout début du XIXe s. pour Maria Feodorovna, l'épouse du tsar.

4

Palais de Marbre
Мраморный Дворец

7 Palais d'Été
Летний
Дворец

4

Neva

Dvortsovaïa oul.

Millionnaïa

3

Lebiajij kanava

Fontanka

5
Champ
de Mars
Марсово поле

6 Jardin
d'été
Летний сад

Ermitage
Эрмитаж

Moïki
Moïki

reki
reki
reki

Moïka

Palais d'Hiver
Зимний Дворец

2

KONIOUCHENNAÏA
PLOCHTCHAD

nab.
nab.

200 m

oul.

1
PLACE DU PALAIS
(DVORTSOVAÏA PL.)
ДВОРЦОВАЯ ПЛ.

Moïka

Koniouchennaïa

Nevski prospekt

Voir plan détachable
**D3/E3 et zoom
G6-7/H6-7/I6**

Pour le restaurant ○
reportez-vous à la p. 96,
quartier Du palais d'Hiver
au palais d'Été.

Du palais d'Hiver au palais d'Été,
la ville impériale

Cette promenade vous fera découvrir le visage « officiel » de Saint-Pétersbourg, celui que certains considèrent comme le plus séduisant. D'un palais à l'autre, elle traverse des lieux chargés d'histoire et offre en permanence des points de vue spectaculaires sur les quais et la majestueuse Neva où se reflètent les édifices aux couleurs pastel.

❶ La place du Palais★★

**Дворцовая площадь
Dvortsovaïa plochtchad.**

Théâtre des grands événements de l'histoire nationale, la monumentale place du Palais, aménagée au début du XIXe s., s'ouvre derrière le palais d'Hiver. Au centre, la colonne

Alexandre (1834) commémore la victoire de 1812 sur Napoléon ; ce monolithe de granit rose, le plus haut du monde (47 m de hauteur totale), est surmonté d'un ange aux traits du tsar Alexandre Ier. Face au palais, un bâtiment en arc de cercle ferme la place. Autrefois siège des bureaux des

Affaires étrangères et de l'État-Major général, il accueille aujourd'hui des expositions temporaires de l'Ermitage.

❷ Le palais d'Hiver et l'Ermitage★★★

**Зимний дворец – Эрмитаж
Dvortsovaïa naberejnaïa 34
☎ 710 9079
www.hermitagemuseum.org
Mar.-sam. 10h30-18h,
dim. 10h30-17h (f. des
caisses 1h avant)
Entrée plein tarif : 400 R ;
audioguide en français :
350 R
Voir « Zoom sur » p. 78-79.**

L'ancienne résidence impériale sert d'écrin aux collections du musée de l'Ermitage (Эрмитаж), un lieu qui, pour

beaucoup, justifie à lui seul le voyage. Ce majestueux édifice couleur pistache, construit dans le style baroque tardif par B. Rastrelli à partir de 1754, a été sans cesse remanié et agrandi. Il est un acteur historique à part entière : c'est ici que le gouvernement provisoire s'installa après l'abdication de Nicolas II (mars 1917), c'est ici qu'un peu plus tard les bolcheviks déclenchèrent la révolution d'Octobre.

❹ Le palais de Marbre★★

Мраморный дворец
Millionnaïa oulitsa 5
☎ 312 9196
Mer.-lun. 10h-17h (lun. 16h)
Entrée plein tarif : 300 R.

Ce palais, dont la sobriété tranche avec la débauche de couleurs des édifices de la perspective Nevski, est l'un des premiers exemples du classicisme à Saint-Pétersbourg. Réalisé par A. Rinaldi, de 1768

à 1785 sur ordre de Catherine II pour son amant le comte Orlov, il doit son nom aux trente-deux variétés de marbre qui le composent. Il accueille aujourd'hui la collection d'art contemporain léguée au musée par Peter Ludwig et des expositions temporaires dont la Biennale de photographie de Saint-Pétersbourg.

❺ Le Champ-de-Mars★

Марсово поле
Marsovo Polié.

Séparé du jardin d'Été par le charmant canal des Cygnes, cet espace dédié au dieu de la Guerre, aux victoires des armées russes et finalement aux festivités en tout genre, a été aménagé par Pierre le Grand sur un terrain marécageux. Dans l'allée centrale, le monument (1919) et la Flamme éternelle (1957) rendent hommage aux combattants de la Révolution et aux victimes de la guerre civile.

❻ Le jardin d'Été★★★

Летний сад
Naberejnaïa Koutouzova
☎ 314 0374
Mai-oct. 10h-21h
Voir « Zoom sur » p. 81.

Le jardin d'Été a rouvert ses portes en mai 2012 après deux ans de fermeture et un programme de restauration de plus de 70 millions de dollars ! Les fontaines ont regagné l'allée principale et les bosquets, et de nouveaux arbres et buissons ont été plantés pour redonner à ces jardins à la française toute leur splendeur du XVIIIe s. Les 90 sculptures de marbre ont malheureusement été remplacées par des copies en marbre agrégé et polyester ! Les originales sont exposées au château des Ingénieurs (voir p. 49).

❼ Le palais d'Été★★★

Летний дворец
Dans l'enceinte du jardin
☎ 314 0456
Fermé pour travaux ;
réouverture prévue
entre fin 2012 et l'été 2013
Voir « Zoom sur » p. 81.

Également conçu par Pierre le Grand, ce modeste palais comporte deux niveaux organisés de façon identique. Le rez-de-chaussée était destiné au tsar tandis que son épouse occupait les appartements à l'étage. C'est un endroit simple et confortable, comme les affectionnait le souverain.

❸ LA RUE DES MILLIONNAIRES★

Comme son nom et sa proximité avec le palais d'Hiver le laissent deviner, cette artère fut l'une des plus huppées de la ville. Les hôtels particuliers qui la bordent (et dont l'entrée donne souvent, côté pair, sur le quai du Palais) appartenaient fréquemment à des membres de la famille impériale. Transformés en appartements communautaires à l'époque soviétique, aujourd'hui réhabilités, ils font désormais les délices des « nouveaux Russes » fortunés.

Миллионная улица – Millionnaïa oulitsa.

Pour les restaurants ⓦ reportez-vous à la p. 100, quartier Du jardin d'Été au jardin de Tauride, et à l'encadré p. 100.

Voir plan détachabl
E3/F3 et zoom I6

[Carte]

Neva
nab. Koutouzova
nab.
Chpalernaïa
Robespiera
oul.
oul. Zakharyevskaïa
oul.
Gagarinskaïa oul.
Mokhovaïa oul.
Tchaïkovskovo
Potiemskaïa
Taврический двор
Таврический са
❺ Palais et jardin de Tauride ❻
Liteïni
oul. Soljani per.
❷
❸
❶
Fontanka
oul. Pestelia
Cathédrale de la Transfiguration
Собор Спасо-Преображенский
Fourchatskaïa oul.
Ⓜ
Kirotchnaïa
oul.
Tavritcheskaïa
Musée Stieglitz
Музей Штиглица
PREOBRAJENSKAÏA PLOCHTCHAD
❹
Boulgaria
oul.
Sapiorny per.
200 m

Du jardin d'Été
au jardin de Tauride

Tout proche de l'animation du centre, ce quartier à l'écart des circuits touristiques présente le visage d'une paisible zone résidentielle. Ses artères, bordées d'immeubles un peu défraîchis, sont ponctuées d'espaces verts et de petites places qui n'ont rien de spectaculaire… et pourtant, les quelques rues qui mènent du jardin d'Été au jardin de Tauride vous réservent de jolies surprises !

❶ Le musée Stieglitz★★

Музей Штиглица (Музей Прикладного искусства)
Solianoï pereoulok 13
☎ 273 3258
www.stieglitzmuseum.ru
Mar.-sam. 11h-16h30 (f. des caisses 16h)
Entrée plein tarif : 60 R.

Pour rejoindre ce musée, installé dans l'École des arts appliqués, passez le tourniquet (mot de passe *Muzeï*, « musée »), grimpez le bel escalier d'apparat, prenez à droite à travers deux pièces en enfilade puis descendez le premier escalier sur votre gauche. Vous y voilà ! L'endroit

abrite les collections du baron Stieglitz, riche industriel qui fonda l'école en 1876 mais c'est surtout son décor peint qui vaut le détour : il reproduit le décor du palais des Terems, situé au Kremlin, à Moscou.

❷ Moukha Tsokotoukha★★

Муха Цокотуха
Solianoï pereoulok 14
☎ 273 3830
T. l. j. 12h-23h.

Ce petit restaurant propose une délicieuse cuisine aux accents du Caucase. Le menu existe en anglais mais il vous sera sans doute difficile de choisir car tout fait envie, en particulier les compositions sucrées-salées. La salle voûtée aux murs en briques apparentes accueille tous les soirs des petites formations de jazz.

❺ Tsvieti★

Цветы
Potiemskaïa oulitsa 2
☎ 579 8121
www.orangeryspb.ru
• **Salle d'exposition : lun.
14h-20h, mar.-dim. 11h-20h,
entrée plein tarif : 50 R**
• **Boutique : t. l. j. 11h-20h.**

Le jardin d'enfants qui occupe une partie du jardin de Tauride jouxte un ensemble d'immenses serres. Ce parc d'exposition florale est constitué d'une série de

boutiques qui vendent plantes diverses, fleurs et graines variées. Parmi celles-ci, Tsvieti, installée dans un vaste jardin tropical : un décor pour le moins inattendu dans la ville !

❻ Le palais et le jardin de Tauride★

**Таврический дворец,
Таврический сад
Chpalernaïa oulitsa 47
Accès libre au jardin
Le palais ne se visite pas.**

Cadeau de Catherine II à son favori Potemkine, ce palais fut édifié en 1789 par Stassov. Sans ornementation extérieure, il constitue l'un des premiers exemples de l'austère style néoclassique en Russie. Le bâtiment, propriété de la municipalité, est entouré d'un agréable parc de 24 ha, agrémenté d'étangs et parcouru de petits cours d'eau, qui accueille une patinoire en hiver.

❸ Sol Art Gallery★★

Solianoï pereoulok 15
☎ 327 3082
www.solartgalley.com
T. l. j. 10h-18h.

Installée dans le bâtiment de l'École des arts appliqués, cette petite galerie, qui donne directement dans le musée Stieglitz (voir p. 52, accès par la porte suivante), s'est donné pour mission de faire connaître le travail d'artistes débutants, dont certains peuvent être diplômés de l'école. Pour les collectionneurs qui parient sur l'avenir !

❹ La cathédrale de la Transfiguration★★

Спасо-Преображенский
Совор
**Preobrajenskaïa plochtchad
Offices t. l. j. 12h et 17h
Accès libre.**
Situé au centre d'une jolie place, cet édifice néoclassique, dessiné par Stassov en 1829, a remplacé le bâtiment d'origine, commandé par la tsarine Élisabeth Petrovna (1741-1762) et détruit par le feu quatre années auparavant. La cathédrale, décorée d'icônes du XIXe s., possède une belle coupole centrale bleue parsemée d'étoiles. Un petit comptoir vend des icônes contemporaines bon marché.

LE PRINCE POTEMKINE

Grigori Potemkine (1739-1791) n'est pas né prince. D'origine modeste, militaire de carrière, il fut remarqué par Catherine II après le coup d'État qui destitua son époux, le tsar Pierre III (1762). Comme le comte Orlov, il fut l'un de ces favoris, ami-amant, dont la tsarine aimait s'entourer. Gouverneur général d'Ukraine, il reçut le titre de prince de Tauride après sa victoire sur les Turcs en Crimée (1783), la Tauride des Anciens.

6

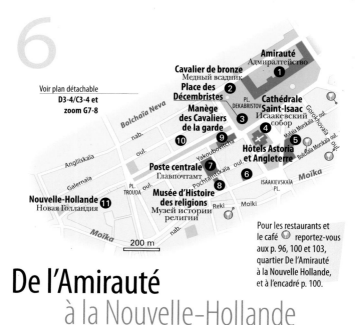

Amirauté
Адмиралтейство ❶

Cavalier de bronze
Медный всадник ❷

Place des Décembristes
PL. DEKABRISTOV

Cathédrale Saint-Isaac
Исаакиевский собор ❸

Manège des Cavaliers de la garde ❸

❹ ❺

Hôtels Astoria et Angleterre

Voir plan détachable
D3-4/C3-4 et zoom G7-8

Bolchaïa Neva nab.

❿ ❾

Yakoubovitcha oul.

Angliiskaïa oul.

Poste centrale
Главпочтамт ❼

Pochtamtskaïa oul.

ISAAKIEVSKAÏA PL.

Moïka

Galernaïa

PL. TROUDA oul.

❽

Musée d'Histoire des religions
Музей истории религии

Reki

Moïki

Nouvelle-Hollande
Новая Голландия ⓫

Moïka nab.

Gorokhovaïa oul.

Malaïa Morskaïa

Bolchaïa Morskaïa oul.

200 m

Pour les restaurants et le café ☕ reportez-vous aux p. 96, 100 et 103, quartier De l'Amirauté à la Nouvelle Hollande, et à l'encadré p. 100.

De l'Amirauté
à la Nouvelle-Hollande

Point de convergence des trois grandes avenues de la rive gauche de la ville, l'Amirauté symbolise parfaitement la vocation maritime de Saint-Pétersbourg.
Elle constitue le cœur d'un quartier dévolu au fil des ans à l'Administration et qui, tout autant que le palais d'Hiver voisin, fut un centre du pouvoir. Flânez à travers ses artères ombragées, découvrez ses beaux hôtels particuliers témoins de la qualité de vie de ses occupants avant la Révolution : luxe, calme et volupté.

❶ L'Amirauté★★
Адмиралтейство
Admiraltietsvo
Ne se visite pas.

Avec sa flèche dorée couronnée de la caravelle, symbole de Saint-Pétersbourg, l'Amirauté est l'un des points de repère favoris des visiteurs. C'est ici que Pierre le Grand avait décidé de bâtir le chantier naval d'où sortirait sa marine

de guerre. L'administration navale y installa ses bureaux au XVIIIe s. C'est aujourd'hui l'École supérieure de la marine de guerre. À l'arrière s'étend le jardin Alexandrovski agrémenté d'une large fontaine, point de ralliement des amoureux et des marins en goguette.

❷ Le *Cavalier de bronze*★★★
Медный всадник
Plochtchad Dekabristov.

C'est Diderot, grand ami de Catherine II, qui conseilla à la tsarine de commander au sculpteur français Étienne-Maurice Falconet

le monument par lequel elle
voulait rendre hommage
à Pierre le Grand et
commémorer en 1782 les
vingt ans de son propre règne.
Ce *Cavalier de bronze*,
saisissant de réalisme, a fait
couler beaucoup d'encre :
le publiciste Herzen y vit
un emblème de la tyrannie
impériale ; l'écrivain Biely,
un symbole de la Russie au

bord du gouffre. Avant eux,
Pouchkine l'avait imaginé
errant à travers la ville frappée

par la grande inondation
de 1824…

❹ La cathédrale Saint-Isaac★★★

Исакиевский собор
Isaakievskaïa plochtchad
☎ 315 9732
Jeu.-mar. 10h-18h en été,
11h-18h en hiver
Entrée plein tarif musée :
250 R ; colonnade : 150 R
Entrées séparées pour
l'ascension de la coupole
et pour la colonnade,
11h-17h
Voir « Zoom sur » p. 89.

La coupole dorée de
l'imposante cathédrale Saint-
Isaac est visible de presque
toute la ville. Construit
entre 1819 et 1858, l'édifice
est l'œuvre du Français
Auguste de Montferrand,
qui dut réaliser de véritables
prouesses techniques.
La sobriété extérieure ne laisse
en rien deviner la débauche
de marbres, pierres semi-
précieuses et stucs qui ont servi
à la décoration intérieure.
N'hésitez pas à gravir les
quelque deux cent soixante
marches qui conduisent
au sommet de la colonnade :
la vue est impressionnante.

❺ Les hôtels Astoria et Angleterre★

Bolchaïa Morskaïa oulitsa 39
et Malaïa Morskaïa

❸ LA PLACE DES DÉCEMBRISTES★

Ouverte sur la Neva, cette place rend hommage aux
officiers libéraux qui, le 14 décembre 1825, tentèrent
d'empêcher l'accession au trône de Nicolas Ier et
d'instituer une monarchie constitutionnelle. Ayant avec
eux une partie de l'armée, les putschistes envahirent la
place mais ils furent rapidement repoussés. Cinq des
conjurés furent pendus, les autres exilés en Sibérie. La
place, entourée de bâtiments néoclassiques conçus
par Rossi dans les années 1830, forme un ensemble
architectural cohérent avec l'Amirauté.

Construit en 1780, le bâtiment de la poste centrale s'est vu adjoindre au XIXe s. une galerie sur laquelle se trouvent aujourd'hui de curieuses horloges indiquant l'heure de plusieurs grandes villes du monde. L'endroit mérite une visite, même si vous n'avez pas de courrier à envoyer ! La grande salle carrée est désormais dotée de comptoirs modernes mais elle a conservé une partie de son beau décor Art nouveau.

oulitsa 24
☎ 494 5757 et 494 5666.

Inauguré en 1912, l'hôtel Astoria, et son annexe l'Angleterre, est le plus ancien hôtel de Saint-Pétersbourg. Superbement restauré dans son style Art nouveau d'origine, l'établissement continue d'accueillir comme par le passé des hôtes de marque de passage dans la ville. En 1941, Hitler, certain de sa victoire, aurait prévu d'y célébrer la chute de Leningrad. Le nom de l'Angleterre reste associé à une page sombre de l'histoire de la littérature russe. C'est dans l'une de ses chambres que le poète Serguëi Essenine (1895-1925) fut retrouvé mort. Selon la version officielle, il se serait pendu après s'être ouvert les veines et avoir tracé avec son sang ses derniers vers. Pour d'autres, on l'aurait un peu aidé. Le mystère reste entier…

❻ Teplo
Bolchaïa Morskaïa oulitsa 45
☎ 570 1974
www.v-teple.ru
T. l. j. 12h-23h
Plats de 180 à 650 R.
Teplo, ça veut dire « chaud », et sous ces latitudes, la proposition ne se refuse

pas. Inspirée par les dieux de la convivialité, Mariya Revzina pourvoit à tout : sourires chaleureux, ambiance familiale, déco cosy et une carte qui propose les classiques de la cuisine russe (les blinis aux œufs de saumon, le borchtch et la julienne de champignons sont parfaits) avec un vrai souci de modernité. À la disposition des clients frileux, de gros plaids douillets dans lesquels s'enrouler.

❼ La poste centrale★
Главпочтамт
Pochtamtskaïa oulitsa 9
☎ 315 8022
T. l. j. 24h/24.

❽ Le musée d'Histoire des religions★
Музей истории религии
Pochtamtskaïa oulitsa 14/5
☎ 314 5838 ou 315 3080
www.gmir.ru
Jeu.-mar. 11h-18h
Entrée plein tarif : 220 R
(gratuit 1er lun. du mois).

Ce musée, inauguré en 2001, est l'héritier du musée d'Histoire de l'athéisme… Si les sections traitant de la religion des Hébreux, des Grecs et de Rome ne méritent vraiment pas qu'on s'y arrête, le lieu vaut la peine d'être vu pour sa muséographie moderne et les salles consacrées à la religion

orthodoxe (belles icônes, superbes objets liturgiques…).

❾ Le manège des Cavaliers de la garde★

Конногвардейский манеж
Исаакиевскаia plochtchad 1
☎ 314 8859 ou 312 2243
www.manege.spb.ru
T. l. j. 11h-19h (selon expos)
Entrée payante : env. 250 R.

Salle d'entraînement du régiment de la garde montée, le manège fut construit par Quarenghi au début du XIXe s. Vous pourrez le reconnaître à certains détails de la façade comme le groupe de statues encadrant le portique qui figurent les fils de Zeus, occupés à dresser des chevaux, dans le plus simple appareil…
Les membres du saint-synode voisin furent choqués par ces sculptures qui furent

retirées, puis réinstallées en 1954 seulement.
Un temps transformé en salle de concerts, le manège accueille aujourd'hui des expositions artistiques.

⓫ La Nouvelle-Hollande★★

Новая Голландия
Naberejnaïa
Admiralteiskovo kanal 2
☎ 456 7637
www.newhollandsp.com
15 juin-15 sept. : lun.-mer.
11h-22h, jeu.-dim. 11h-23h
Accès gratuit.
Cette île artificielle fut construite par Pierre le Grand en 1721 pour abriter le premier arsenal militaire. Après avoir été un chantier naval, puis une prison et une radio soviétique, les bâtiments ont été abandonnés. Cet ensemble, aujourd'hui en pleine reconstruction, se transforme chaque été en oasis culturelle avec marchés de petits producteurs, concerts, expositions et de grandes pelouses pour pique-niquer.

❿ KROKODIL★

Dans un cadre très cosy qui sépare les fumeurs des non-fumeurs, la renommée du Krokodil n'est plus à faire car la cuisine y est délicieuse et l'ambiance chaleureuse. Le bar propose des whiskies du monde entier.

Крокодил
Galernaïa oulitsa 18
☎ 314 9437
12h30-minuit.

7

200 m

Morskaïa
Moïki
Moïka
Fonanny per.
Bolchaïa reki
Palais Ioussoupov ❶
Юсуповский дворец
nab.
Glinki
Dekabristov
Krioukov kan.
Griboïedova
oul.
Galerie-musée ❷
l'Artiste de
Saint-Pétersbourg
Петербургский Художник
- Музейно-Выставочный
Центр
PLACE DES THÉÂTRES
(TEATRALNAÏA PL.)
❸
ТЕАТРАЛЬНАЯ ПЛ.
❺
oul.
kanal Kriouka
Podiacheskaia
Cathédrale ❹
Saint-Nicolas
Никольский
собор
Semionovski
Rimskovo-Korsakova
pr.
kanala
Bol.
Griboïedova

Voir plan détachable
C4 et zoom G8

nab. kan. Griboïedova
oul.
kanal
oul.
Sadovaïa

Entre Moïka
et canal Griboïedov

Une promenade comme une invitation à la flânerie, le long de deux des principaux canaux du centre-ville, bordés de belles demeures patriciennes. De souvenirs historiques en témoignages artistiques, vos pas vous conduiront dans l'ancien quartier des marins, à la lisière du Saint-Pétersbourg de Dostoïevski.

❶ Le palais Ioussoupov★★★

Юсуповский дворец
Naberejnaïa reki Moïki 94
☎ 314 8893
www.yusupov-palace.ru
T. l. j. 11h-17h ; oct.-avr.
f. 1ᵉʳ mer. du mois
Entrée plein tarif : 500 R
(audioguide compris,
caution 1 000 R, expo.
Raspoutine 250 R).

Les richissimes Ioussoupov vécurent jusqu'à la Révolution dans ce palais construit par Vallin de La Mothe dans les années 1760. Même si les fabuleuses collections de

peinture et d'objets d'art de la famille sont aujourd'hui

à l'Ermitage, le lieu laisse deviner la puissance et le faste de ses anciens propriétaires. Le théâtre privé de style rococo, la salle de bal ou encore le salon mauresque en témoignent. Installé au sous-sol, un musée de cire évoque la dernière soirée de Raspoutine (billet séparé).

❷ Galerie-musée l'Artiste de Saint-Pétersbourg★★

Петербургский Художник -
Музейно-Выставочный
Центр
Naberejnaïa reki Moïki 100
☎ 314 0609
www.piter-art.com
Mer.-dim. 11h-20h
Accès payant.

Fokine, Repin, Ugarov… Ces noms ne vous disent rien ? Alors poussez la porte de ce musée ouvert en 2005

our présenter la fine fleur
l'artistes pétersbourgeois
njustement délaissés pour
voir créé des années 1950
la fin des années 1980.
Pourtant, à travers de belles
alles au mobilier d'époque,
n découvre les œuvres
nspirés par la nature et les
ommes que par la politique
e l'époque.

❸ La place des Théâtres★★

Театральная площадь
Teatralnaïa plochtchad.

oici un endroit sans pareil
lans la vie culturelle de Saint-
Pétersbourg : face à face se
ressent le fameux théâtre
Mariinski, autrefois connu

sous le nom de Kirov, et
le conservatoire Rimski-
Korsakov, hauts lieux du ballet
et de la musique de la cité.
Devant l'école de musique,
les statues de Mikhaïl Glinka
et de Nikolaï Rimski-Korsakov
rendent hommage à ces deux
grands noms de la musique
russe (voir p. 34-35).

❹ La cathédrale Saint-Nicolas★★★

Никольский собор
Nikolskaïa plochtchad
T. l. j. 7h-12h et 16h-19h ;
offices t. l. j. 8h, 18h.

Construit entre 1752 et 1762
par le Russe Tchevakinski,
ce magnifique édifice baroque
bleu, blanc et or n'est pas sans
évoquer la cathédrale de Smolny,
œuvre de Rastrelli, le maître de
l'architecte (voir p. 19). Dédié
au patron des marins, le lieu
de culte se dresse au centre
d'un quartier autrefois habité
par des « gens de la mer » et
des employés de l'Amirauté. La
grandiose iconostase en bois
doré, à l'intérieur, est d'origine.

❺ Sadko★★★

Glinki oulitsa 2
☎ 7 812 903 2372
www.sadko-rst.ru

Le personnage mythique de
Sadko n'a pas seulement
inspiré à Repine l'un de ses
tableaux les plus captivants ni
à Rimski-Korsakov son célèbre
opéra. Il a aussi soufflé à
l'architecte de ce restaurant un
univers féérique où se mêlent
lustres en verre de Murano
rouge, voûtes délicatement
peintes de fleurs folkloriques
et tapis d'orient… La cuisine,
100 % russe, est élégamment
troussée, à l'image du saumon
mariné (425 R) et des darnes
de sandre poêlées au chou-
fleur (390 R), à déguster sur
de grands airs d'opéra…
chantés par les élèves du
conservatoire voisin !

L'ASSASSINAT DE RASPOUTINE

Il faut se débarrasser de Raspoutine (1872-1916), le
guérisseur mystique qui jouit d'un immense ascendant
sur la famille impériale ! Voilà qui s'impose comme une
évidence à un groupe d'aristocrates très inquiets de la
situation du pays. Parmi
eux : le prince Félix
Ioussoupov, chez qui le
guet-apens est organisé
le 16 décembre 1916.
Mais Raspoutine, véritable
force de la nature, résiste
au repas au cyanure
comme aux coups de
pistolet ! Les comploteurs
jettent finalement son
corps dans la Neva
glacée et, pour finir, les
médecins constateront
la mort par noyade…

Voir plan détachable
D4/E4 et zoom H8/I8

Pour les restaurants et les cafés ⃝ reportez-vous aux p. 96, 100, 101 et 103, quartier De la place Sennaïa à la place Vosstania, et à l'encadré p. 100.

De la place Sennaïa
à la place Vosstania

De la place « au Foin », siège du plus ancien marché de la ville, à la place « de l'Insurrection » où, en 1917, des militaires désobéirent en refusant de tirer sur la foule, cette promenade traverse un Saint-Pétersbourg populaire, hanté par l'écrivain Dostoïevski et ses héros. Elle passe par l'avenue Zagorodny, qui marquait encore au milieu du XIXe s. les limites de la capitale.

avec sa largeur de 22 mètres, ses maisons d'une hauteur de 22 mètres et sa longueur de 222 mètres, elle est un modèle d'équilibre mathématique.

❷ Rada & K★★

Gorokhovaïa oulitsa 36
☎ 385 1226
T. l. j. 11h-23h.

Une cantine moderne, végétarienne, délicieuse et bon marché, c'est le petit

❶ Le théâtre Alexandrinski et la rue de l'Architecte-Rossi ★★

Улица зодтчего Росси
Oulitsa Zodtchevo Rossi.

Ce célèbre théâtre fut bâti en 1832 par l'architecte italien Rossi qui signa là une œuvre magistrale avec ses portiques à colonnes couronnés d'un quadrige d'Apollon. C'est dans ce théâtre, alors l'un des mieux équipés d'Europe, que furent joués tous les grands dramaturges russes des XIXe et

XXe s., Gogol, Gontcharov, Ostrovski… À l'arrière, Rossi a conçu une rue ravissante :

...iracle réalisé par la jeune ...t souriante équipe du Rada « content » en russe) ! On ...y bouscule pour ses soupes ...éconfortantes, ses gratins ...t poêlées de légumes ou ses ...alades à petits prix (50 à ...0 R la portion). Vous pouvez ...ommander à table mais le ...ieux est de passer au self où ...ous êtes sûrs de faire le bon ...hoix.

❸ Spassiba! ★

...orokhovaïa oulitsa, 50/79 ...sur le canal de la Fontanka) ☎ 748 7137 ...ww.spasiboshop.org ... l. j. 12h-20h.

...oulia Titova s'est inspirée du ...nodèle anglais des *charity* ...*hops* pour ouvrir le premier ...nagasin de bienfaisance de ...aint-Pétersbourg. Le concept ...'est si bien acclimaté que la ...outique croule sous les jeans, ...es chemises et les vestes à

---

petits prix (de 200 à 650 R). Le petit plus ? Les rayons de la mode vintage soviétique : robes, gilets et chemisiers brillants (entre 400 et 1 000 R) sont de retour dans les rues de Saint-Pétersbourg ! Qui l'eût cru ?

❹ Loft Project Etagi★★

Этажи Лофт Проект Ligovski prospekt 74 ☎ 458 5005 www.loftprojectetagi.ru Lun.-ven. 12h-22h, sam.-dim. 10h-22h Accès libre au bâtiment, expos payantes (env. 100 R).

Une fois passé devant l'œil patibulaire du préposé au tourniquet, engouffrez-vous dans ce bâtiment industriel, l'ancienne boulangerie Smolninsky, reconvertie depuis 2007 en espace artistique. Au menu, entre vieux fours et carreaux de faïence, trois galeries d'art contemporain, une librairie spécialisée dans le design et l'architecture, un bar à vin (LoftWineBar) et un grand café-restaurant dont le toit-terrasse est un spot très couru.

❺ Le musée Dostoïevski★★★

Литературно-мемориальный музей Ф. М. Достоевского Kouznetchny pereoulok 5/2 ☎ 571 4031 http://eng.md.spb.ru Mar.-dim. 11h-18h (f. des caisses 17h30)

Entrée plein tarif : 160 R (audioguide : 170 R) Voir « Zoom sur » p. 80.

Natif de Moscou, l'écrivain Fedor Dostoïevski (1821-1881) résida souvent à Saint-Pétersbourg où il occupa une vingtaine d'appartements. Celui-ci fut le dernier : c'est là qu'il s'éteignit, victime d'une hémorragie pulmonaire, peu après avoir achevé *Les Frères Karamazov*. Plusieurs pièces, dont son bureau, ont été reconstituées, permettant de se représenter ce que fut le cadre de vie de l'écrivain.

❻ Rousskie Parnye na Degtiarnoï★★

Русские Парные на Дегтярной Degtiarnaïa oulitsa dom 1/A ☎ 271 6669 www.izzzba.ru/sauna80.htm T. l. j. 8h30-21h À partir de 400 R les 2h.

Ce grand complexe de saunas et bains vous propose plusieurs formules : sauna public, familial, pour quinze personnes, VIP... Massages, manucure, solarium : vous trouverez tout ici pour vous relaxer. Une petite restauration est également à votre disposition.

9

Krónverkski oul.
Sytninskaïa oul.
Kronverkski oul.
Vedenskaïa oul.
oul. Markina pr.
Sezjinskaïa oul.
Kronverkski
Kronverkskaïa
4 Krónverkski
Malaïa
200 m
Posadskaïa oul.
SAMPSONIEVSKI M.
Mitchourinskaïa oul.
Kouïbycheva oul.
Petrogradskaïa nab.
Gorkovskaïa Ⓜ
2
3 Ⓜ
Kamennoostrovski pr.
Parc Alexandrovski
Александровский парк
nab.
6 **Croise Auro** Крейс Авро
5 nab.
Maisonnette de Pierre Домик Петра
Petrovskaïa oul.
1
Forteresse Pierre-et-Paul Петропавловская крепость
Neva
TROÏTSKI MOST

Voir plan détachable
D2-3

Pour le restaurant et le café Ⓒ reportez-vous aux p. 96 et 103, quartier Autour de la forteresse Pierre-et-Paul.

Autour de la forteresse
Pierre-et-Paul

De la forteresse Pierre-et-Paul, berceau de la cité, au croiseur *Aurore*, « acteur » de la révolution d'Octobre, cette promenade est placée sous le signe de l'Histoire. Un paradoxe, et non des moindres : c'est dans ce quartier où tout, des épaisses murailles de la place forte à l'arsenal du Kronwerk, rappelle la vocation défensive initiale de la ville, que fut aménagé au tournant du XXe s. un parc de loisirs qui n'a rien perdu de sa popularité !

❶ La forteresse Pierre-et-Paul★★★

Петропавловская крепость
☎ 238 0511 ou 230 6431

T. l. j mai.-sept. 10h-19h ; oct.-avr. 10h-18h (mar. 10h-17h) ; f. mer. Entrée plein tarif : 370 R (mai-sept.), 270 R (oct.-avr.) (billet commun pour la cathédrale et les musées ; billet séparé pour le tour des remparts)
Voir « Zoom sur » p. 82-83.
La décision prise par Pierre le Grand, en 1703, de construire cette forteresse est en quelque sorte l'acte de naissance de la cité. Véritable ville dans la ville avec sa cathédrale – lieu de sépulture de la plupart des Romanov –, sa prison, ses maisons et ses bâtiments

officiels, la forteresse, isolée su son îlot, a progressivement perdu son rôle défensif. Aujourd'hui, son territoire est un lieu de promenade appréci notamment pour sa plage !

❷ Demaniova oukha★★

Демьянова уха
Kronverkski prospekt 53
☎ 232 8090
T. l. j. 12h-23h
À partir de 800 R.
La cuisine russe compte de nombreux plats à base de poissons d'eau douce,

ont la fameuse *oukha*,
rte de bouillabaisse. Ce
staurant dont le cadre
eproduit celui d'une isba
aditionnelle s'en est fait
ne spécialité. L'occasion
e goûter également à
sturgeon (*ossetrina*), réputé
en sûr pour ses œufs – le
aviar – mais aussi pour sa
hair délicate.

Le parc
Alexandrovski★

лександровский парк
Alexandrovski park.

ieu de loisirs populaire
epuis le début du XXᵉ s. et
inauguration de la maison
u Peuple (aujourd'hui
ansformée en music-hall),
parc Alexandrovski possède
n parfum suranné. Les week-
nds et les jours de fête, la

foule continue de s'y presser,
n'hésitant pas à pique-niquer
sur les espaces verts après avoir
acheté des provisions à l'un
des nombreux kiosques
qui bordent le métro. Certains
seront tentés par une visite
au zoo (un peu déprimant)
ou au planétarium, devenu un
dancing (assez surréaliste)…

⑤ La maisonnette
de Pierre★★

Домик Петра
Petrovskaïa naberejnaïa 6
☎ 232 4576
Mer.-lun. 10h-17h (lun.
16h) ; f. dernier lun. du mois
Accès payant.

C'est depuis cette petite
maison en bois, construite
en mai 1703, que Pierre le
Grand surveilla l'avancement
des travaux de sa nouvelle
capitale le temps d'un été.
Difficile d'imaginer le tsar,
géant de plus de 2 m, habiter
ces trois minuscules pièces :
le bâtiment mesure en effet
12 m de long et 5,5 m de
large pour une hauteur de
5,72 m. Entourée d'une
structure de brique durant
le règne de Catherine II
(1762-1796), la maisonnette
est demeurée en parfait
état et semble un peu
décalée parmi les bâtiments

modernes qui l'entourent
aujourd'hui.

⑥ Le croiseur
Aurore★★

Крейсер Аврора
Petrogradskaïa naberejnaïa 4
☎ 230 8440
www.aurora.org.ru
Mar.-jeu. et sam.-dim.
10h30-16h
Entrée plein tarif : 300 R.

Véritable monument
historique, le croiseur *Aurore*
a tiré, le 25 octobre 1917
à 21h40, le coup de canon
à blanc donnant le signal de
l'attaque du palais d'Hiver

et du début de la révolution
d'Octobre. À l'époque, il était
ancré au pied du pont
Nikolaïevski (actuel pont
du Lieutenant-Schmidt),
à proximité de la résidence
impériale. Vaisseau-école
après la Révolution, le croiseur
se saborda pour échapper aux
Allemands en 1941 et fut remis
à flot à la fin de la guerre.
On y découvre aujourd'hui les
quartiers de l'équipage ainsi
qu'une intéressante exposition
sur l'histoire du navire.

④ CAFÉ MOZART★

L'endroit idéal pour venir
prendre une tasse de café
ou de thé accompagnée
d'un délicieux dessert.
Comme le laisse présager
son nom, ce café au
cadre très XVIIIᵉ s. vous
proposera aussi parfois
des petits récitals
classiques.

Кафе Моцарт
Kronverkski prospekt 23
☎ 232 9493
www.cafemozart.ru
T. l. j. 9h-23h.

10

Musée Chaliapine ❺
Музей-квартира
Ф. И. Шаляпина

200 m

❹

Jardin botanique
Ботанический сад

Ⓜ Petrogradskaïa

Pirosmani

Musée Kirov ❸
Музей-квартира
С. М. Кирова

Gorkovskaïa Ⓜ

Mosquée ❶
Мечеть

Musée de l'Histoire ❷
politique de la Russie
Музей политической
истории России

Pour les restaurants et le café 🍴 reportez-vous aux p. 96, 97 et 103, quartier Perspective Kamennoostrovski, et à l'encadré p. 100.

Voir plan détachable
C1-2/D1-2

La perspective Kamennoostrovski,
au cœur d'un quartier Art nouveau

Longue de 4 km, l'avenue Kamennoostrovski traverse le quartier de Petrogradska
de haut en bas pour déboucher sur les merveilleuses îles du delta de la Neva.
Cette large artère commerçante ne possède pas le caractère aristocratique de la
rive gauche : ici, on a construit au tournant du XXe s. non pas des palais, mais des
immeubles de rapport dans le style Art nouveau alors en vogue. Laissez votre reg
s'élever : façades, corniches, fenêtres… de belles surprises sont au rendez-vous.

❶ La mosquée★

Мечеть
Kronverski prospekt 7
Ne se visite pas.

Avec sa coupole et ses minarets couverts de faïence turquoise, la mosquée de la ville évoque les lieux de culte musulmans de l'Asie centrale. De fait, les architectes Vassiliev et Kretchinski, à l'origine de sa construction (1914), se sont inspirés du mausolée de Gour Emir, édifié à Samarkand (Ouzbékistan) au XVe s.

❷ Le musée de l'Histoire politique de la Russie★★

Музей политической
истории России
Oulitsa Kouïbycheva 2/4
☎ 233 7052
www.polithistory.ru/en
Ven.-mer. 10h-18h (f. des caisses à 17h)
Entrée plein tarif : 200 R.

Grande figure du ballet impérial de Saint-Pétersbourg (voir p. 28), la ballerine Mathilde Kchessinskaïa (1872-1971) est aussi connue

our sa liaison avec le futur
colas II, qui demanda,
1914, à A. von Gogen,
rchitecte de la cour, de lui
onstruire un hôtel particulier.
n mars 1917, dans la
emeure désertée par ses
ropriétaires, les bolcheviks
ablirent leur QG. Le lieu
rite aujourd'hui quantité
e témoignages sur la vie
olitique en Russie du XIXe s.
nos jours, mais il intéressera
ns doute d'abord pour son
dmirable décor Art nouveau.

quotidien d'un dignitaire
soviétique des années 1930
puisque plusieurs pièces sont
restées en l'état.

❹ Café-restaurant Arfa★

Кафе-Ресторан Арфа
Kamennoostrovski
prospekt 52
☎ 346 2496
T. l. j. 11h-23h.

Dans cet élégant restaurant
au cadre raffiné et aux
boiseries sombres, les
grandes baies vitrées
permettent de jouir du
spectacle de la rue en

dégustant des plats tout à fait
originaux. Récitals classiques
certains soirs.

❺ Le musée Chaliapine★★

Музей-квартира
Ф. И. Шаляпина
Oulitsa Graftio 2/В
☎ 234 1056
Mer.-dim. 12h-19h ;
f. dernier ven. du mois
Entrée plein tarif : 100 R.

Fedor Chaliapine (1873-
1938) est véritablement
l'archétype de la voix de
basse russe. Découvert à
17 ans, il mena une carrière
exemplaire, s'illustrant
dans un large répertoire et
immortalisant notamment
le rôle de Boris Godounov,
dans l'opéra du même
nom, de Moussorgski.
L'appartement dans lequel
il vécut de 1914 à 1922,
date de son exil en France,
est rempli de souvenirs
professionnels et personnels
qui permettent de mieux
cerner la personnalité de cet
homme généreux et drôle.

❸ Le musée Kirov★★

узей-квартира С. М. Кирова
amennoostrovski
rospekt 26/28, 4e étage
☎ 346 0289
l. j. 11h-18h ; f. mer.
ntrée plein tarif : 100 R.

ergueï Kirov (1886-1934)
ccupa cet appartement
e 1926 – date de sa
omination au poste de
crétaire du parti pour
région de Leningrad –
squ'à son assassinat.
articulièrement intéressante,
visite de ce musée retrace
vie de celui qui fut
n vrai héros populaire,
mme en témoignent les
ombreux cadeaux qu'il
çut. Elle permet aussi
appréhender l'univers

UN MONDE DISPARU

Installée dans une annexe du musée Kirov, l'exposition sur
l'enfance dans les années 1920-1930 est l'occasion d'un
voyage à travers une époque bien révolue. Elle permet de
voir des pièces reconstituées (jardin d'enfants, chambres,
salle de classe, univers des pionniers…) et beaucoup
d'objets chargés d'une réelle émotion.

11

Voir plan détachable
**B3-4/C3-4 et
zoom G6-7**

Pour les restaurants ⬤ reportez-vous aux p. 97 et 101, quartier de l'université.

Le quartier de l'université,
des musées pour tous les goûts

C'est sur l'île Vassilievski, la plus grande du delta de la Neva, que Pierre le Grand voulait installer le siège du pouvoir de sa nouvelle capitale. Inondations, difficultés d'accès : il dut renoncer, et la ville se développa de l'autre côté du fleuve, autour de l'Amirauté. Aujourd'hui partagée entre zones industrielles et quartiers d'habitation, l'île conserve de magnifiques édifices, sièges d'institutions académiques, et de beaux musées.

❶ La Strelka★★

Стрелка.

La Strelka (« flèche ») forme la pointe orientale de l'île, endroit où le fleuve se sépare en deux bras, la Petite et la Grande Neva. Elle est bordée de bâtiments qui rappellent son ancienne vocation commerciale, comme la Bourse du commerce et les bâtiments des douanes. Deux colonnes rostrales,

constructions de granit roug[e] hautes de 32 m, dominent la place. Érigées en 1810, elles éclairaient autrefois l'entrée du port ; sur les piédestaux sont sculptées des figures allégoriques de quatre grand[s] fleuves russes : la Neva, la Volga, le Dniepr et le Volkho[v]. L'endroit offre un point de vue admirable sur le palais d'Hiver et la forteresse Pierre-et-Paul.

● Le musée
e Zoologie★★

оологический музей
университетскаïа
аberejnaïa 1/3
328 0112
l. j. 11h-18h ; f. mar.
trée plein tarif : 200 R,
atuit le dernier jeudi du
ois.

ous les animaux de la
éation semblent s'être donné
ndez-vous dans l'ancien
trepôt des douanes qui
rite le musée depuis 1896.
nsidérée comme l'une
s plus importantes au
onde, la collection compte
us de cent mille pièces.
egroupés par familles,
s spécimens sont souvent
ésentés dans leur milieu
turel : nid d'aigle
ns les montagnes du
ucase, ours polaires sur la
nquise, loups, élans et
autres habitants de la taïga
à différentes saisons…

❸ Staraïa
Tamojnaïa★★★★

Старая Таможная
Tamojenny pereoulok 1
☎ 327 8980
T. l. j. 13h-1h.

L'« Ancienne Maison des
douanes » est l'un des rares
établissements de la Strelka,
et c'est d'abord à ce titre
que le restaurant mérite
d'être cité. On y déguste
une très bonne cuisine
internationale, mais les prix
sont élevés (940-1 680 R
le plat). Cet endroit sélect
dispose aussi d'une carte
des vins impressionnante
(près de mille références)
et d'une cave à cigares
réputée. Ambiance musicale
le soir et piste de danse pour
les amateurs.

❹ Le musée
d'Anthropologie
et d'Ethnographie★★★

(Kounstkamera)
Музей антропологии и
этнографии (Кунсткамера)
Ouniversitetskaïa
naberejnaïa 3 (entrée sur
Tamojni pereoulok)
☎ 328 1412
www.kunstkamera.ru
Mai-sept. : mar.-dim. 11h-
18h ; oct.-avr. : mar.-dim.
11h-17h (f. caisses 1h avant)
Entrée plein tarif : 200 R.

Ce bâtiment baroque
turquoise et blanc abrite les
collections du musée le plus
ancien du pays. Il a pour
origine la Kounstkamera,
cabinet des curiosités de
Pierre le Grand. Il est surtout
célèbre pour les préparations
anatomiques rassemblées
par le tsar : siamois, mouton
à deux têtes, et autres fœtus

LE PLUS VIEUX MAMMOUTH DU MONDE

Le musée de Zoologie compte plusieurs squelettes
de mammouths aux dimensions impressionnantes.
Mais l'un d'entre eux tient la vedette.
Découvert en 1900 en Yakoutie, il aurait 45 000 ans.
Vous le reconnaîtrez facilement à sa curieuse position
assise : il serait mort pris au piège après être tombé
en arrière dans un trou…

L'Académie russe des beaux-arts

anormaux conservés dans du formol. Depuis 1878, le lieu est aussi un musée consacré à la vie quotidienne des peuples du monde. Depuis le 2e niveau, on accède au **musée Lomonossov★★** ; on y voit notamment une reconstitution du cabinet de travail du savant.

❺ L'université★

Университет
Ouniverpitetskaïa naberejnaïa 7 à 11.
Construit par Domenico Trezzini de 1722 à 1742, cet ensemble d'édifices baroques rouge et blanc identiques est aussi connu sous le nom de Douze Collèges. Les bâtiments abritent les organes du gouvernement – Sénat, saint-synode et dix ministères (collèges) – jusqu'à leur déménagement sur l'autre rive, et furent donnés en 1830 à l'université, fondée quelques années auparavant.

❼ Le palais Menchikov★★★

Дворец Меншикова
Ouniverpitetskaïa naberejnaïa 15
☎ 323 1112
Programme des concerts :
☎ 311 2980

www.hermitagemuseum.org
Mar.-sam. 10h30-18h, dim. 10h30-17h (f. des caisses 30 min avant)
Entrée plein tarif : 60 R (audioguide en français)
Voir « Zoom sur » p. 88.

Premier palais construit en pierre à Saint-Pétersbourg (1720), la demeure baroque d'Alexandre Menchikov, ami

d'enfance du futur Pierre le Grand et premier gouverneur de la nouvelle capitale, peut surprendre par son allure plutôt simple. Ce palais jaune et blanc renferme pourtant de trésors qui en font un véritable conservatoire de la vie et des goûts de la noblesse russe du XVIIIe s., très influencée par l'Europe occidentale.

❽ L'Académie russe des beaux-arts★

Российской академии художеств
Ouniverpitetskaïa naberejnaïa 17
☎ 323 3578
www.nimrah.ru
Mer.-dim. 11h-18h (f. caisse à 17h)
Entrée plein tarif : 300 R.
Fondée en 1757, l'Académie des beaux-arts a été le centre artistique le plus important

❻ LOMONOSSOV : L'ENCYCLOPÉDISTE RUSSE

Sur le quai de l'Université, au niveau de la Mendeleïevskaïa linia, une statue représente un homme pensif. C'est Mikhaïl Lomonossov (1711-1765) le fils d'un modeste pêcheur, que rien ne prédestinait à devenir un précurseur dans de nombreux domaines du savoir. Chimiste, physicien, géologue, linguiste, poète, historien, il fut par exemple le premier à observer l'atmosphère de Vénus lors de son passage près du soleil, à codifier la grammaire russe ou à rédiger une histoire de son pays.

e Russie aux XVIIIe et XIXe s.
an Aivazovsky et Karl
rioullov, entre autres, ont
é formés ici. Quant au très
eau palais néoclassique qui
abrite, on le doit au Français
allin de La Mothe. Son musée
xpose au 3e étage une superbe
ollection de modèles géants
es principaux monuments
e la ville.

Novy Museï★★

овый Музей
ія linia 29
323 5090
ww.novymuseum.ru
er.-ven. 11h-19h,
am.-dim. 12h-20h.

ans un pays où la critique
ciale est devenue aussi
re qu'un bon vin russe
ste l'art contemporain
ont on vérifie ici, dans ce
remier musée privé à lui être
onsacré, tout le pouvoir…
xplosif ! De l'interprétation
e la conférence de Yalta
ar Komar et Melamid aux
ortraits photographiques de
erim Ragimov, en passant
ur les provocations d'Oleg
ulik (artiste interdit à la FIAC
008), les regards sont aussi
orrosifs qu'un bain d'acide.

Le brise-glace *Krassine*★

едокол Красин
aberejnaïa Leïtenanta
chmidta, au niveau de

22-ïa linia / 23-ïa linia
☎ 325 3547
www.krassin.ru
Mer.-dim. 10h-18h
(f. des caisses 1h avant)
Visite groupe chaque heure :
11h-17h
Entrée plein tarif : 200 R.

Voisin de l'institut des Mines,
le brise-glace *Krassine*
entame aujourd'hui
une nouvelle carrière.
Conçu en 1917 sur
les chantiers navals
de Newcastle pour
Nicolas II, il a participé
à de nombreux voyages
dans les eaux glacées de
l'Arctique : en 1928, il porta
secours aux survivants de
l'expédition de l'aviateur
Nobile ; pendant la Seconde
Guerre mondiale, il fut le
seul bâtiment soviétique à
faire face aux sous-marins
allemands pour défendre le
port de Mourmansk…

⑪ Musée et galeries d'art contemporain Erarta ★★★

Музей и галереи
современного искусства
29-ïa linia 2 (Vassilievski
Ostrov)
www.erarta.com
Mer.-lun. 10h-22h
Entrée plein tarif : 300 R.

Voilà un musée pas vraiment
central qu'il serait pourtant
dommage de bouder : c'est
le plus moderne et l'un des
plus passionnants musées
de Saint-Pétersbourg. Son
musée et ses galeries exposent
sur cinq étages le meilleur
de l'art contemporain russe.
Mais que les allergiques de
l'abstraction se rassurent :
ici contemporain rime avec
réalisme, figuratif et poésie…
Le musée innove aussi avec
ses *U space*, des espaces
thématiques clos (200 R)
mêlant installation, bruitage
et lumière.

12

Hors plan détachable
par D5

Surprises
dans un
quartier
stalinien

Loin des stucs et des ors des palais du centre-ville, l'avenue Moskovski, la plus longue de la ville avec ses 9 km, présente le visage soviétique de Saint-Pétersbourg. Aménagée dans les années 1950, cette artère à l'aspect sévère est bordée d'immeubles d'habitation très recherchés pour leur confort. Levez les yeux : les grandes baies vitrées des niveaux supérieurs cachent souvent des ateliers d'artistes.

❶ Le monument de la Victoire★★

Монумент защитникам Ленинграда
Plochtchad Pobedy.

On remarque de loin l'obélisque de granit rouge et les groupes de statues qui l'entourent : marin, ouvrier, simple citoyenne…, autant de héros issus du peuple qui ont défendu la ville pendant la Seconde Guerre mondiale ; officiellement, cet ensemble est d'ailleurs baptisé *Monument des défenseurs de Leningrad*. Sa forme générale en cercle brisé évoque la rupture du terrible blocus. Depuis son inauguration en 1975, la flamme du souvenir ne s'y est jamais éteinte.

❷ La salle du Souvenir★

Памятный зал
☎ 371 2951
Jeu.-lun. 11h-18h,
mar. 11h-17h
Entrée plein tarif : 100 R.
Située en contrebas au centre du monument, la salle du Souvenir impressionne par son ambiance de

cueillement. Éclairée par
neuf cents petites lampes, une
pour chaque jour du siège,
elle est plongée dans une
demi-pénombre. Des haut-
parleurs diffusent une
musique solennelle ponctuée
par un métronome : c'est le
cœur de la cité qui continue
à battre dans la tourmente.
Les noms de 650 personnes
qui reçurent après la guerre
le titre de héros de l'Union
soviétique sont gravés en
lettres d'or sur les murs.

Mozzarella bar★★
Моццарелла бар
Moskovski prospekt 153
T. l. j. 10h-12h.

dans cette promenade
monumentale et militaire, un
peu de la légèreté et du soleil
d'Italie est plutôt bienvenu.
Surtout quand il s'agit de
déguster mozzarella de
bufflone, *penne alla siciliana*
(270 R) et *aubergines
parmeggiana* (310 R) !
Assiettes anciennes, murs
jaunes éclatants, banquettes de
velours de gris… l'ambiance
est chic et le service très soigné.

L'église
de Tchesmé★★
Чесменский дворец
Lensovieta oulitsa 12
T. l. j. 9h-19h, horaires des
offices sur la porte
Accès libre.

Incroyable trace du XVIIIe s.
dans ce quartier, cette
petite église rose et blanc
ressemble à une pâtisserie.
Construite par Iouri Velten
(1780), elle présente un
plan inhabituel en forme
de trèfle. Elle porte le nom
d'une importante victoire
navale remportée en mer Égée
face aux Turcs en 1770.
Derrière l'église, arrêtez-vous
un moment dans l'émouvant
petit cimetière où reposent
les corps de soldats tombés
pendant la Seconde Guerre
mondiale.

❺ Le palais
de Tchesmé★★
Чесменский
Oulitsa Gastello 11, angle
avec oulitsa Lensovieta
Ne se visite pas.
Également dessiné par Velten
(1777), cet édifice de style

néogothique servait à l'origine
de relais de diligence
à Catherine II lorsqu'elle
se rendait à Tsarskoïe Selo
(voir p. 74). Transformé
en hôpital militaire en 1830,
il fut alors remanié et fort
peu restauré par la suite.
C'est aujourd'hui une
maison de retraite.

❻ Le parc moscovite
de la Victoire★
Московский парк Победы
Moskovski parc Pobedy
T. l. j. 24h/24
Accès libre.

Aménagé en 1945, ce parc,
jalonné de plusieurs plans
d'eau, est un lieu de promenade
fréquenté le week-end.
Au centre, sur l'« allée des
Héros », se succèdent les bustes
de Soviétiques héroïques,
parmi lesquels celui de Zoïa
Kossmodemianskaïa, une jeune
partisane exécutée en 1941,
devenue le symbole de la
résistance face aux Allemands.

LE SIÈGE DE LENINGRAD
Depuis sa fondation, la ville a traversé bien des
épreuves, mais aucune n'a égalé en horreur le siège
qui dura de septembre 1941 à janvier 1944. Face
aux Allemands qui encerclaient la ville, les habitants
firent preuve d'une résistance admirable. Mais à
quel prix ! Un million de victimes – un tiers de la
population – mortes de faim pour la plupart. Le musée
de la Défense et du Siège de Leningrad (Solianoï
pereoulok 9) retrace cet épisode douloureux à travers
divers souvenirs, notamment les objets d'un quotidien
devenu impossible avec ses rationnements alimentaires
draconiens (500 calories quotidiennes environ),
l'absence de chauffage et d'électricité, et la maladie…

Voir plan détachable
au verso

Débarcadère
**Palais
de Monplaisir** *Golfe de Finlande*
Монплезир дворец

Palais Marly
Марли дворец Maliban
③ Allée du Fontaine d'Ève **④**
Allée Fontaine de Fontaine
Allée des Bouleaux **Grande Cascade** d'Adam **Parc inférieur**
② Marly Нижний Парк
Orangerie Fontaine de **⑤**
la Pyramide
Grand Palais ① Cascade
Болшой дворец du Mont Chapelle **Cottage**
Fontaines de de l'Échiquier gothique Коттедж
l'Étang carré Palais de **⑥**
Bassin la Ferme
Fontaine *Rouge* Écuries
de Neptune 200 m
Sankt-Peterbourgski Prospekt

Peterhof

En 1717, Pierre le Grand est très impressionné par Versailles… Il veut lui aussi un palais à sa mesure. Le choix du site ne doit rien au hasard : le domaine est en bordure de la Baltique, une mer qui n'est plus aux mains des Suédois depuis leur défaite face aux Russes à Poltava (1709). Inauguré en 1723, Peterhof n'a rien perdu de son charme enchanteur. Bienvenue à « Versailles-sur-mer » !

37 sculptures en bronze qui surpasse Versailles ! Au centre un Samson doré ouvre la gueule d'un lion d'où jaillit une immense colonne d'eau : une allégorie de la bataille de Poltava.

❶ Le Grand Palais★★★

Болшой дворец
**Mar.-dim. 10h30-18h ;
f. dernier mar. du mois
Entrée plein tarif : 520 R.**
Pierre le Grand aurait du mal à reconnaître le palais qu'il avait commandé : ses successeurs n'eurent

de cesse de l'agrandir et de le redécorer à la mode de leur temps. L'intérieur est absolument somptueux : escalier d'honneur, chambre impériale, grande salle de bal… Le cabinet de travail du tsar, tout en boiseries de chêne sculpté, a conservé sa décoration d'origine.

❷ Le canal maritime et la Grande Cascade★★★

Le long canal relié au golfe de Finlande permettait autrefois aux invités d'honneur d'arriver en bateau jusqu'au Grand Palais. Il débouche sur la Grande Cascade, un ensemble impressionnant de 64 fontaines, 142 jets d'eau et

❸ Le palais Marly★★

Дворец Марли
☎ 450 7729
**Mar.-dim. 10h30-17h ; oct.-avr. : sam.-dim. seulement
Entrée plein tarif : 150 R.**
Ce petit palais, nommé en souvenir de Marly-le-Roi, un pavillon de chasse de Louis XIV qui avait fortement impressionné le tsar, avait pour fonction d'accueillir les hôtes

u domaine. Décoré sobrement u goût de Pierre le Grand, il st équipé d'une belle cuisine rnée de carreaux de Delft et appelle le **palais d'Été** (voir « Zoom sur » p. 81).

❹ Le palais de Monplaisir★★

Дворец Монплезир
☎ 450 6129
Juin-sept. : mar.-dim. 10h30-17h ; f. dernier mer. du mois
Entrée plein tarif : 360 R.

C'est dans cet édifice construit en brique rouge qui lui rappelait sans doute la Hollande chère à son cœur que Pierre le Grand séjournait et recevait le plus volontiers. La belle salle des marines évoque son goût pour les bateaux qu'il apprit justement à construire lors d'un séjour prolongé à Amsterdam.

❺ Le parc inférieur★★★

Нижний парк
Entrée plein tarif : 400 R.

Pierre le Grand mit un point d'honneur à aménager les

jeux d'eau de son domaine de 100 ha et fit venir pour cela les meilleurs artisans… des Français qui avaient travaillé à Versailles ! Près de trois siècles plus tard, le résultat continue de ravir petits et grands. Vous découvrirez au gré des allées des fontaines dissimulées dans les arbres, d'autres chargées de symboles – celle d'Adam et Ève, revenus au paradis terrestre chez le tsar ! –, d'autres encore réservent des surprises… et se mettent en route si l'on s'approche de trop près !

❻ Le Cottage★

Коттедж
☎ 450 6129
Mer.-dim. 10h30-17h ;
oct.-avr. : sam. et dim. seulement
Entrée plein tarif : 250 R.

Cette résidence est plus importante que ne le laisse supposer son nom. Elle fut construite en 1829 pour que Nicolas Ier et les siens puissent se retrouver « en famille » dans un cadre moins formel que celui des autres palais. De style néogothique à l'extérieur comme à l'intérieur, elle mérite d'être visitée pour sa décoration – magnifique escalier en trompe l'œil – et son atmosphère presque intime.

PETERHOF PRATIQUE

• **Renseignements :** ☎ 450 5287
www.peterhofmuseum.ru
C'est le week-end qu'il y a le plus de lieux ouverts et… de monde. Il faut prendre un billet d'entrée pour le domaine plus un billet pour chacun des palais. Fontaines en service mai-oct. 11h-17h (18h sam.-dim.).
• **Y aller :** en hydroglisseur *Meteor* (mai-sept. seulement), départ toutes les 30 min du débarcadère face à l'Ermitage, trajet env. 30 min. En minibus n° 404 depuis la gare de la Baltique (M° Baltiiski Vokzal), trajet env. 50 min.
• **Se restaurer :** à plusieurs endroits du domaine, différents cafés et cafétérias bien indiqués permettent de faire une pause.

Palais Alexandre
Александровский дворец
6

Cuisines

Voir plan détachable
au verso

« Le Parnasse »

Statue de
Pouckine

Egl. N.-D.-
du-Signe

Théâtre
chinois

2 Lycée
Лицей

« Le Champignon »
Palais Catherine 1
Болшой
Екатериниский дворец

Bains
d'en-Haut

Grande
Orangerie

**Village
chinois 5**

Pavillon
des Soirées

Obélisque
du Kagoul

**4 Galerie
Cameron**

Bains
d'en-Bas

Pavillon
d'Agate

Galerie
Ionique

Grotte

Cuisines

Ermitage

Pavillon
Grinçant

Étangs
supérieurs

3 Parc Catherine
Екатеринский Парк

Salle de
Concert

Terrasse
de Granit

**Grand
Étang**

200 m

Tsarskoïe Selo

Tsarskoïe Selo (le « bourg du tsar ») est également connu sous le nom de Pouchkine, qui fut le sien de 1937 à 1991. Le lieu est en effet hanté par le souvenir du poète qui y étudia et y possédait une datcha. Mais Tsarskoïe Selo est avant tout un domaine impérial, sans doute le plus grandiose des environs de Saint-Pétersbourg. L'occasion aussi d'une promenade dans une petite ville à l'allure provinciale pleine de charme.

1 Le palais Catherine

Болшой Екатерининский дворец
Mer.-lun. 10h-17h ;
f. dernier lun. du mois
Entrée plein tarif : 320 R
(audioguide en français :
150 R, caution 1 000 R).

Histoire

Le palais Catherine doit son nom à Catherine Iʳᵉ, la seconde femme de Pierre le Grand. À l'origine, il n'y avait là qu'un modeste édifice, que leur fille Élisabeth Petrovna fit transformer par Rastrelli

vers 1752. Mais c'est finalement Catherine II qui donna à la construction son allure monumentale, et le palais devint aussi le sien. Mêlant baroque et néoclassicisme, l'endroit éblouit par la magnificence de son décor.

Le cabinet d'Ambre ★★★

Un lieu exceptionnel auquel est associée une histoire tout aussi exceptionnelle : jusqu'à la Seconde Guerre

mondiale, le cabinet d'Ambre était une pièce entièrement tapissée de panneaux d'ambre travaillés en marqueterie, offerts par Frédéric-Guillaume de Prusse à Pierre le Grand. Sa destruction, ou plutôt son démantèlement, est à inscrire au nombre des ravages de l'occupation allemande. En 1944, les précieux panneaux d'ambre s'étaient évanouis dans la nature ! Ils n'ont jamais été retrouvés

...epuis, mais les artisans russes ont mis tout leur savoir-faire au service de la reconstitution du lieu. Une entreprise rendue possible grâce au mécénat d'une société... allemande !

❷ Le Lycée★

Лицей
☎ 476 6411
Mar.-lun. 10h30-17h,
f. dernier ven. du mois
Entrée plein tarif : 200 R.
Relié par un arc à l'aile de la chapelle du palais Catherine, le Lycée impérial, inauguré en 1811, a vu défiler sur ses bancs les rejetons des plus grandes familles de l'Empire. Parmi eux, Pouchkine, qui y fut pensionnaire jusqu'en 1817. C'est dans ces beaux jardins de Tsarskoïe Selo que le poète vécut ses premiers émois artistiques et composa les vers qui allaient lui ouvrir les portes du monde des lettres.

❸ Le parc Catherine★★

Екатерининский парк
Mai-oct. 9h-21h
Entrée plein tarif : 100 R (9h-18h, gratuit après).

Composé de jardins à la française, le parc de 560 ha est jalonné de ponts et de « folies », ces pavillons à l'architecture extravagante alors très en vogue ; la grotte (1749-1770), aux murs entièrement tapissés de coquillages à l'origine, ou les

bains turcs (1852), dans le plus pur style mauresque, en sont deux beaux exemples.

❹ La galerie Cameron★★

Cette longue galerie néoclassique fut construite en 1787 par Charles Cameron, sur ordre de Catherine II. Coiffée d'un péristyle de 44 colonnes ioniques, elle est bordée de bustes de personnages

admirés par la tsarine. En 1794, l'architecte y ajouta une rampe pour permettre à l'impératrice vieillissante d'accéder aux jardins.

❺ Le village chinois★

Caractéristique du goût du XVIIIᵉ s. pour les chinoiseries, ce petit village se compose d'une série de pavillons orientaux qui ont été transformés en résidences de luxe. Il faut dire que les importants travaux de restauration nécessitent encore aujourd'hui beaucoup d'argent... Allez jusqu'au Grand Caprice, un pont en forme de pagode. Au-delà commence le parc Alexandre.

❻ Le palais Alexandre★

Александровский дворец
T. l. j. sf mar. et dernier mer. du mois 10h-17h
Entrée plein tarif : 100 R.

Commandé par Catherine II pour son petit-fils Alexandre Iᵉʳ, ce beau palais néoclassique (1792) fut l'une des résidences favorites de Nicolas II et de sa famille. C'est ici qu'après l'abdication du souverain en 1917 ils furent un temps assignés à résidence avant d'être transférés à Tobolsk puis à Ekaterinbourg.

TSARSKOÏE SELO PRATIQUE

• **Renseignements :** ☎ 465 9424 – www.tzar.ru
• **Y aller :** en minibus n° 342 depuis Moskovskaïa ploch. (M° Moskovskaïa), 1 ou 2 départs par heure, 30 min env.
• **De Tsarskoïe Selo à Pavlovsk :** départ à l'angle de Oranjereïnaïa oul. et de Sadovaïa oul. (bus n° 370) ou place de la gare (bus nᵒˢ 370 et 383), arrêt devant le palais de Pavlovsk à la station Dvorets, Revolioutsi oul. (15-20 min).
• **Se restaurer :** vous pourrez vous restaurer à la cafétéria installée dans l'aile sud du palais Catherine ou au Café Tsarskoïe Selo, un fast-food situé face au Lycée (mer.-lun. 11h-minuit).

15

Voir plan détachable
au verso

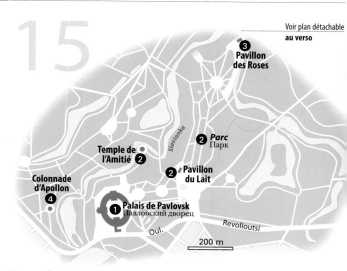

**Pavillon
des Roses** ❸

Slavianka

❷ *Parc*
Парк

**Temple de
l'Amitié** ❷

❷ **Pavillon
du Lait**

**Colonnade
d'Apollon**
❹

❶ **Palais de Pavlovsk**
Павловский дворец

Oul.

Revolioutsi

200 m

Pavlovsk

Avec son palais de taille modeste et son ravissant parc à l'anglaise, Pavlovsk est sans doute le plus charmant des domaines impériaux des environs de Saint-Pétersbourg. Promenades romantiques ou longues balades à ski de fond, le parc, librement accessible au public, est une source de loisirs inépuisable. Quant au palais, il permet de découvrir la vie de la famille impériale « côté jardin »...

❶ Le palais de Pavlovsk★★

Павловский дворец
Entrée plein tarif : 500 R.

Histoire

Cet édifice néoclassique jaune pâle a été construit au cœur

d'un domaine autrefois utilisé pour les chasses impériales et qui fut donné en 1777 par Catherine II à son fils, le futur Paul Ier. Dans le palais en hémicycle construit par C. Cameron puis par V. Brenna se succèdent salles d'apparat et appartements privés où le luxe ostentatoire commun aux autres palais est moindre.

La chambre d'apparat de la tsarine★★

Personne n'a jamais dormi dans le lit à baldaquin sur lequel veillent des angelots dorés et dodus : cette chambre était destinée

aux cérémonies officielles. Le splendide nécessaire de toilette en porcelaine de Sèvres qui trône sur la table est un cadeau de Marie-Antoinette à Maria Feodorovna.

La salle du Trône★★

Malgré son nom, la plus grande pièce du palais servait aux réceptions d'apparat. Sur la table dressée, on découvre un service de 606 pièces, sorti de la manufacture impériale de Saint-Pétersbourg. Le plafond est orné d'un trompe-l'œil destiné à donner une impression de hauteur ;

'Italien Gonzago, qui conçut ce décor en 1798, ne le vit jamais puisque ces fresques n'ont été réalisées que dans la seconde moitié du XXᵉ s., à partir d'archives miraculeusement retrouvées.

La galerie des peintures★★

Cette longue galerie en coude occupe une grande partie de l'aile sud. Regardez par les fenêtres et vous découvrirez de magnifiques points de vue sur le parc. Comme par le passé, peintures, meubles et objets précieux s'y côtoient, composant un décor harmonieux, mais les toiles de grande valeur ont aujourd'hui rejoint les collections des musées de Saint-Pétersbourg.

Les appartements privés★

Situées au rez-de-chaussée, ces pièces qui constituaient l'ordinaire de la famille impériale sont intéressantes et émouvantes à visiter. Décorées avec sobriété, elles recèlent des tableaux peints par Maria Feodorovna ; très habile, la tsarine aimait en effet à représenter les membres de sa famille et fut à l'origine de plusieurs « trouvailles de déco » pour sa résidence.

❷ Le parc★★★

Парк
Mai-oct. : t. l. j. 9h30-17h ;
nov.-avr. : sam.-dim et jours de fête 9h-17h
Entrée plein tarif : 150 R.
Le parc de 600 ha – le plus grand espace paysager du pays – fut au centre des préoccupations des maîtres de Pavlovsk. Ils n'eurent de cesse de l'agrémenter de ponts jalonnant la sinueuse Slavianka et de pavillons commémoratifs ou utilitaires, comme le **temple de l'Amitié** (1780), premier monument de style grec construit en Russie, ou le **pavillon du Lait** (1782). Ravagé pendant la Seconde Guerre mondiale, le domaine renaquit de ses cendres. Aujourd'hui, c'est un lieu de promenade apprécié.

❸ Le pavillon des Roses★

Entrée plein tarif : 150 R.

La rose était sans doute la fleur préférée de Maria Feodorovna… L'impératrice fit de ce pavillon son lieu de retraite favori à Pavlovsk. Après son veuvage, elle aima s'y recueillir, puis y organisa concerts et réunions littéraires.

❹ La colonnade d'Apollon★★

Conçu par Cameron, ce monument doit son allure romantique au hasard : en 1817, une crue de la rivière démit les fondations de la colonnade dont une partie s'effondra, lui donnant l'aspect d'une « ruine » si charmante que personne ne jugea utile de la relever…

PAVLOVSK PRATIQUE

• **Renseignements :** ☎ 452 2155 ou ☎ 452 1536 (autorépondeur) www.pavlovskmuseum.ru

• Mar.-dim. 10h-17h ; f. ven. 15 sept.-15 mai.

• **Y aller :** en minibus nᵒ 299 depuis le Mᵉ Moskovskaïa et nᵒ 286 depuis le Mᵉ Kouptchino, 1 ou 2 départs par heure, trajet 40 min env.

• **De Pavlovsk à Tsarskoïe Selo :** station devant le palais de Pavlovsk, Revolioutsi oul. (bus nᵒˢ 370 et 383), arrêt à l'angle de Oranjereïnaïa oul. et de Sadovaïa oul. pour le palais Catherine ou place de la Gare de Tsarskoïe Selo (15-20 min env.). Depuis le Palais et la gare de Pavlovsk, minibus nᵒˢ 513, 299 et 286 pour rejoindre le palais Catherine.

• **Se restaurer :** dans l'aile sud du palais, un restaurant offre un choix de plats traditionnels et de pâtisseries.

L'Ermitage

La visite de ce musée, comparable au Louvre, constitue indéniablement l'un des grands moments d'un séjour pétersbourgeois. Seule une toute petite partie du précieux fonds est exposée dans les quatre cents salles. On estime qu'en passant une minute devant chaque œuvre, un visiteur aurait besoin de onze ans pour tout voir… Des choix cruels s'imposent !

Organiser sa visite

Antiquités, orfèvrerie, peintures de toutes les écoles, du Moyen Âge au milieu du XXᵉ s. : il y en a pour tous les goûts. Il vous faudra sélectionner la section qui vous intéresse en priorité pour apprécier pleinement votre visite ; quitte à revenir une autre fois au cours du séjour. Penchez-vous donc sur le plan gratuit qui vous sera donné à la caisse et tranchez… En fonction de votre programme, louez un des audioguides thématiques : « Des impressionnistes à Picasso », « La peinture hollandaise du XVIIᵉ s. », etc.

Un remarquable ensemble architectural

Pour atteindre le deuxième niveau, vous emprunterez sans doute l'incroyable escalier des Ambassadeurs (ou du Jourdain), en marbre de Carrare, qui s'inscrit dans un fastueux décor baroque. Au même étage

se succèdent les appartements privés et les somptueuses salles d'apparat. Parmi les plus belles : la salle Saint-Georges – principale salle du Trône – avec ses colonnes de marbre, la salle des Concerts – qui abrite le sarcophage d'Alexandre Nevski – et le précieux salon de Malachite. Les salles copiées des *loggie* réalisées au Vatican par Raphaël sont merveilleuses : Catherine II, qui ne se refusait rien, les commanda à Quarenghi en 1783.

Le premier niveau
Entièrement consacré aux civilisations de l'Antiquité, il compte des pièces que l'on a peu d'occasions de voir dans les musées occidentaux. Les salles qui exposent les trouvailles archéologiques des sites de l'Oural et de la Sibérie, celles dédiées aux peuples de l'Altaï, du Caucase et d'Asie centrale, aux royaumes de la mer Noire sont particulièrement intéressantes. Celles dédiées aux Scythes, principaux représentants de l'art des steppes, sont uniques au monde : les objets exposés (vaisselle, bijoux, armes) ne sont d'ailleurs que des très belles copies ; les originaux sont à l'abri dans les salles du Trésor et visibles uniquement sur demande.

Le deuxième niveau
Art italien et français du XVe au XVIIIe s., peinture espagnole du XVe au XIXe s., œuvres des écoles flamande, hollandaise et allemande, peinture anglaise du XVIIe au XIXe s. : il faudra encore choisir. Le musée est réputé pour son exceptionnelle collection de Rembrandt (36 toiles), ses Van Dyck (25 toiles), ses Rubens (22 tableaux et de nombreuses esquisses), ses Titien et ses Poussin…

Le troisième niveau
C'est ici que se trouvent les salles les plus visitées. Voisines du riche département de numismatique et des sections sur les civilisations d'Extrême-Orient, les collections d'art français des XIXe et XXe s. – les plus importantes hors de France – comptent de vrais trésors. Renoir et les impressionnistes y occupent une large place, aux côtés de Cézanne, Vuillard, Matisse et Picasso, peintres qui furent appréciés par les collectionneurs russes du début du XXe s.

COORDONNÉES

L'Ermitage – Эрмитаж
Palais d'Hiver
Зимний дворец
Voir p. 50
Dvortsovaïa
naberejnaïa 34 (G6/H6)
M° Nevski Prospekt
☎ 710 9079
www.hermitage
museum.org
Mar.-sam. 10h30-18h,
dim. 10h30-17h (f. des
caisses 1h avant)
Entrée plein tarif : 400 R ;
audioguide en français :
350 R.

Le musée Dostoïevski

Lorsqu'il est question de « classiques » de la littérature russe, ses héros sont dans tous les esprits. Qui peut oublier Raskolnikov, meurtrier halluciné de *Crime et Châtiment,* ou le prince Mychkine, figure rayonnante d'amour de *L'Idiot* ? Les raisons de plonger dans l'univers de Fedor Dostoïevski (1821-1881) ne manquent pas…

Un appartement-musée

Bienvenue chez Dostoïevski ! L'écrivain vécut les quatre dernières années de sa vie dans cet appartement, devenu un musée fort intéressant où, pour une fois, les explications abondent ; n'hésitez pas à louer un audioguide (en anglais) et à lire les panneaux explicatifs (en français).

Une œuvre dans son époque

La visite commence par un récit chronologique de la vie de l'homme replacée dans son contexte historique. Objets, photos, coupures de journaux, éditions originales illustrent cette évocation. Des années d'études à l'Académie du génie militaire à la fréquentation du cercle libéral de Petrachevski,

des voyages en Europe à la rédaction des *Frères Karamazov,* son dernier roman, toute l'existence de Dostoïevski défile sous vos yeux.

Un homme dans son intimité

On pénètre ensuite dans l'appartement où il s'installa avec sa femme Anna Grigorievna et leurs deux enfants. Les difficultés financières obligeaient la famille à vivre simplement mais l'on devine tout l'amour qui unissait les Dostoïevski : la nursery, avec ses jouets et ses

livres de contes, est charmante. Le bureau de l'écrivain, sobrement décoré, est révélateur de son caractère austère…

COORDONNÉES

Le musée Dostoïevski
Литературно-
мемориальный музей
Ф. М. Достоевского
Voir p. 61
Kouznetchny
pereoulok 5/2 (E4)
M° Vladimirskaïa
☎ 571 4031
eng.md.spb.ru
Mar.-dim. 11h-18h (f. des caisses 17h30)
Entrée plein tarif : 160 R (audioguide : 170 R).

Le jardin et le palais d'Été

On dit que Pouchkine venait souvent, en voisin, y lire son courrier simplement revêtu de sa robe de chambre… Depuis qu'il est ouvert au public, le jardin d'Été est resté un des lieux de promenade préférés des habitants de la ville. Après plusieurs années de travaux de restauration, cet havre de verdures vous tend à nouveau ses bras.

Le fabuliste Krylov (1769-1844)

les goûts de cet homme qui débordait d'ambition pour son empire, mais préférait vivre simplement. Le palais n'en était pas moins doté de tout le confort « moderne », comme un système de plomberie permettant d'alimenter directement les cuisines en eau.

les allées furent ponctuées de fontaines, de pavillons et de près de deux cent cinquante statues achetées en Italie. À l'origine réservé à la noblesse, le jardin fut ouvert par Nicolas Ier (1825-1855) à toute personne « correctement vêtue ». C'est à cette époque que l'on cessa de tailler les arbres, conformément aux règles du jardin à l'anglaise alors en vogue.

Un jardin à la française… et à l'anglaise
Pierre le Grand fit appel à des paysagistes français pour aménager, à partir de 1704, ce qui devait être le premier jardin de la ville. Bordées d'ormes et de chênes,

Un domaine pour Pierre le Grand
En 1711, le tsar entreprit de faire construire dans le jardin un petit palais. Cette modeste construction évoque plus une maison de campagne qu'un palais. Elle résume assez bien

COORDONNÉES
• Le jardin d'Été
Летний сад
Voir p. 51
Naberejnaïa Koutouzova (I6)
☎ 314 0374
Mai-oct. 10h-21h
• Le palais d'Été
Летний дворец
Voir p. 51
Dans l'enceinte du jardin (I6)
☎ 314 0456
Fermé pour travaux ; réouverture prévue entre fin 2012 et l'été 2013.

La forteresse Pierre-et-Paul

Idéalement situé non loin de l'embouchure de la Neva, cet ouvrage défensif a été au cœur du chantier de la nouvelle capitale voulue par Pierre le Grand. Siège de plusieurs organes officiels, comme l'hôtel des Monnaies, et de la prison politique de la ville, elle n'a jamais été assaillie. Aujourd'hui, ses allées ombragées, ses édifices historiques et sa plage l'ont transformée en un lieu de promenade familiale.

Les portes et les remparts

Vous entrerez probablement dans la forteresse par la porte Saint-Jean à laquelle succède la porte Saint-Pierre, voie d'accès d'origine. Conçue comme un arc de triomphe, elle est surmontée de l'aigle bicéphale, emblème des souverains de Russie. Ne manquez pas de jeter un œil à travers la porte de la Neva (entre la maison des Ingénieurs et la maison des Commandants) : c'est par ici que les prisonniers condamnés à être exécutés ou exilés quittaient la forteresse. Enfin, grimpez sur les remparts pour faire le tour de l'ouvrage fortifié : à la clé, de superbes points de vue sur la ville.

La maison du Bateau

Ce pavillon baroque a été construit pour abriter le premier bateau de Pierre le Grand. C'est sur cette petite embarcation, dont l'original est conservé au musée de la Marine (G6), qu'il s'initia, enfant, à la navigation. Aujourd'hui, la maisonnette abrite l'une des caisses de la forteresse et une boutique de souvenirs.

La cathédrale Saint-Pierre-et-Saint-Paul

Comme celle de l'Amirauté (voir p. 54), sa flèche dorée, haute de 122 m et couronnée d'un ange portant une croix, est un des symboles de la ville. Construite par Trezzini de 1714 à 1733, la cathédrale renferme la nécropole des Romanov. Tous les membres de la dynastie, à l'exception de Mikhaïl et Alexeï, les deux premiers tsars, et de Pierre II, enterrés au Kremlin, reposent ici. En 1998, les restes de Nicolas II et de plusieurs membres de sa famille, assassinés par les bolcheviks en 1918, ont été transférés dans une petite chapelle attenante… mais la querelle pour savoir s'il s'agit réellement d'eux fait toujours rage !

Le bastion Troubetskoï

Son nom a fait trembler des
générations d'opposants
politiques et les cachots
humides de sa prison ont vu
défiler nombre d'entre eux,
à commencer par Alexeï,
le propre fils de Pierre le Grand.
Après lui, les Décembristes
(voir p. 55), Dostoïevski et les
membres du cercle Petrachevski,
Alexandre Oulianov, le frère
aîné de Lénine, l'écrivain
Maxime Gorki, et tant d'autres,
connus ou anonymes, y ont fait
un sinistre séjour…

COORDONNÉES

Forteresse Pierre-et-Paul
Петропавловская крепость
Voir p. 62
(D2-3)
M° Gorkovskaïa
☎ 238 0511 ou 230 6431
T. l. j. mai-sept. 10h-19h ;
oct.-avr. 10h-18h
(mar. 10h-17h) ; f. mer.
Entrée plein tarif :
370 R (mai-sept.),
270 R (oct.-avr.).

La maison des
Commandants

Construite en 1740,
cette maison remplissait à la
fois les fonctions de résidence
du commandant de la
forteresse et de cour de justice.
Aujourd'hui, elle abrite un
musée consacré à l'histoire
de Saint-Pétersbourg et de sa
région depuis le Moyen Âge.

La maison
des Ingénieurs

Visitez l'exposition de
l'ancienne maison des
Ingénieurs militaires
pour replonger dans la
Saint-Pétersbourg d'avant
la Révolution. Costumes,
armes, vaisselle, pendules,
machines à écrire,
téléphones… elle présente
une foule d'objets quotidiens,
souvent mis en scène,
ainsi qu'une remarquable
collection de phonographes,
d'accordéons et de boîtes
à musique.

La laure Alexandre-Nevski

Situé au bout de la perspective Nevski, ce monastère porte le titre de laure, terme désignant dans l'église orthodoxe les établissements qui sont aussi résidence de métropolite et siège d'académies ecclésiastiques. Une visite sous le signe de l'histoire et du recueillement.

Un lieu symbolique

En 1710, Pierre le Grand décide de faire construire un monastère à l'endroit où Alexandre Nevski, grand-prince de Novgorod, vainquit les Suédois en 1240. Le tsar, qui est alors en train d'affronter ces ennemis héréditaires, se place dans la droite ligne du héros national. Ses reliques sont transférées dans le nouveau monastère en août 1721, le jour de la signature du traité qui entérine la victoire sur la Suède…

La cathédrale de la Sainte-Trinité

Seul édifice religieux ouvert au culte dans la laure, cette cathédrale à coupole unique de style classique a remplacé en 1797 une église baroque. L'intérieur, orné de marbre, est particulièrement somptueux. Le sarcophage d'argent qui contenait les reliques de saint Alexandre Nevski est aujourd'hui visible à l'Ermitage.

Un panthéon artistique

La partie la plus émouvante de la visite est sans doute le « pèlerinage » aux cimetières Notre-Dame-de-Tikhvine et Saint-Lazare. Le premier (sur la gauche après l'entrée) est aussi connu comme la « nécropole des maîtres des arts » : plusieurs grands artistes y sont inhumés dans des sépultures qui rappellent leur art et que vous reconnaîtrez facilement. Le second (sur la droite) abrite entre autres les tombes de plusieurs architectes de la ville.

COORDONNÉES

La laure Alexandre-Nevski
Александро-Невская лавра
Voir p. 37
Plochtchad Alexandra Nevskovo (F5)
M° Plochtchad Alexandra Nevskovo
☎ 274 2635
Ven.-mer. 11h-17h
Entrée plein tarif : 100 R.

L'ensemble Smolny

vous voulez admirer l'un des plus beaux témoignages de l'architecture baroque de Saint-Pétersbourg ? visitez Smolny ! Véritable féerie en bleu, blanc et or, et ensemble exceptionnel fut aussi un des hauts eux de la révolution bolchevik.

e couvent

impératrice Élisabeth (1741-1762), fille de Pierre e Grand, gardait un souvenir nu de son enfance passée ans ce quartier qui abritait e vastes entrepôts de oudron (*smola*) destiné ux chantiers navals. C'est là u'elle avait décidé de finir a vie, dans un couvent dont lle confia la construction Rastrelli. Hélas, elle mourut vant de réaliser son vœu.

a cathédrale de la Résurrection

rrivée au pouvoir, Catherine II fit appel à Stassov, ui acheva la cathédrale n 1835 tout en restant fidèle à l'esprit de son concepteur. L'Italien, au sommet de son art, avait en effet imaginé une construction mariant l'esthétique baroque de son pays d'origine à des caractéristiques typiquement russes. Par comparaison, l'intérieur est d'une sobriété déconcertante. Si vous êtes courageux, grimpez au sommet du clocher central : vue imprenable garantie !

L'Institut

Inspirée par Mme de Maintenon et son Saint-Cyr, Catherine II créa un pensionnat pour les jeunes filles de la noblesse. Installé d'abord dans le couvent, il fut transféré par la suite dans un édifice néoclassique, bien plus austère (1808). Mais l'Institut entra dans l'Histoire en 1917 : c'est d'ici que Lénine dirigea la révolution d'Octobre, puis qu'il vécut et travailla jusqu'au transfert du gouvernement à Moscou l'année suivante.

COORDONNÉES

L'ensemble Smolny
Смольный ансамбль
Voir p. 19
Plochtchad Rastrelli (F3)
M° Tchernychevskaïa
☎ 710 3159
Mai-sept. : jeu.-mar.
10h-19h ; oct.-avr. :
jeu.-mar. 11h-19h
Entrée plein tarif : 210 R.

Le Musée russe

Ce très beau musée exclusivement consacré à l'art russe est né de la volonté du tsar Alexandre III (1881-1894), qui avait réuni une collection impressionnante… et souhaitait la montrer. Depuis son inauguration en 1898, le premier musée national consacré aux beaux-arts fait le bonheur des amateurs d'art patentés et néophytes.

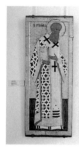

Une visite bien pensée
Le musée occupe le palais Mikhaïlovski et l'aile Benois, bâtiment qui lui fut adjoint au début du XXe s. et qui donne sur le canal Griboïedov. Les collections sont présentées de façon chronologique. Le musée est très grand, mais, contrairement à l'Ermitage, on peut envisager d'en faire le tour en une demi-journée (demandez un plan en français à la caisse).

Les icônes
Cette inestimable collection permet d'appréhender les différentes écoles qui excellèrent dans cet art. On reconnaît par exemple les productions de l'école de Novgorod à leur caractère presque joyeux, celles de Pskov, à l'expression de crainte et d'étonnement des visages. Plusieurs icônes sont attribuées au célèbre Andreï Roublev (v. 1360-v. 1430).

Du XVIIIe s. au milieu du XIXe s.
Beaucoup de sculptures et de portraits des plus hautes figures de l'Empire peuplent ces salles. Ne manquez pas les marines d'Avaïzovski, le spécialiste du genre avec plus de cinq mille toiles à son actif, et les compositions à l'antique de Brioullov. Avec Kiprenski s'ouvre l'ère romantique : son portrait du hussard Davydov fut le symbole de toute une génération.

Les Ambulants et la fin du XIXe s.
Courant majeur de l'art russe du XIXe s., le mouvement des Ambulants est né en 1870 de la protestation des étudiants de l'Académie des beaux-arts, en rupture avec le goût officiel. Ces artistes engagés, désireux de mettre l'art au service de la société, organisèrent des expositions itinérantes

COORDONNÉES

Le Musée russe
Русский музей
Voir p. 47
Injernernaïa oul. 4 (H7/I7)
Mº Nevski Prospekt
☎ 595 4248
www.rusmuseum.ru
Mer.-lun. 10h-18h
(lun. 17h)
Entrée plein tarif : 350 R.

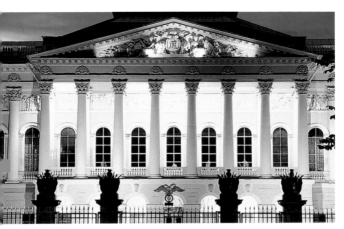

Boris Koustodiev, Femme de marchand *(1915)*

Valentin Serov, Portrait de la comtesse Orlova *(1911)*

d'où leur nom – pour
énoncer les traits les plus
révoltants de la société.
...pine est le plus connu d'entre
...x ; ses célèbres *Haleurs de
... Volga* dépeignent la tâche
...humaine de ces hommes
...rant les bateaux. Perov,
...uant à lui, a souvent pointé
... médiocrité du clergé ;
...vrassov et Chichkine ont
...présenté la nature russe
...mme personne.

...usqu'à la Révolution
...ici la partie où les
...éophytes se sentiront sans
...ute le plus en terrain de
...nnaissance. La renommée

d'artistes comme Malevitch et
Kandinsky a largement franchi
les frontières de la Russie,
mais l'inclassable Vroubel
– dont l'œuvre est dominée
par le thème du démon – ou le
truculent Koustodiev – qui a
si bien représenté les « types »
russes – méritent aussi votre
attention. Le début du XXe s.
fut une période d'intense
activité, durant laquelle de
nombreux groupes virent
le jour : Le Monde de l'art
(Benois, Bakst), La Rose bleue
(Kouznetzov, Petrov-Vodkin),

Le Valet de carreau (Lentoulov,
Machkov), les Rayonnistes
(Gontcharova, Larionov)…
Tous sont passionnants.

Les arts populaires
Cette section présente des
objets de la vie quotidienne :
carreaux de faïence,
pièces en bois sculpté,
jouets, dentelles, vaisselle,
bijoux, et surtout une
impressionnante collection
de plats et d'ustensiles
en bois laqué noir, rouge et
or de Khokloma comme vous
en verrez encore dans les
boutiques d'artisanat.

Le palais Menchikov

Le palais Menchikov est, avec le palais d'Été, le plus ancien témoignage d'architecture civile de la ville. Entièrement rénové dans les années 1950, ce bel édifice baroque permet de revivre, le temps d'une visite, le faste du Saint-Pétersbourg de Pierre le Grand…

Grandeur et décadence d'un parvenu

Fils d'un garçon d'écurie, Alexandre Menchikov (1673-1729) eut un destin hors du commun. Pierre le Grand considérait son ami de jeunesse comme un frère et lui confia de hautes responsabilités. Corruption, abus de pouvoir… les critiques éclatèrent peu après la mort du souverain. Accusé de trahison, Menchikov fut exilé en 1729 en Sibérie où il ne tarda pas à mourir.

Le destin d'une demeure noble

Le palais (1710-1720), qui s'étendait autrefois sur un domaine de 12 ha, n'était utilisé qu'en été ; l'hiver, la famille résidait dans un petit édifice en bois aujourd'hui disparu. Pierre le Grand s'y considérait chez lui, n'hésitant pas à y recevoir les ambassadeurs étrangers. Après le départ de Menchikov, la demeure fut transformée en caserne… À la suite de nombreux travaux, le palais, désormais annexe de l'Ermitage, a retrouvé toute sa beauté.

Un voyage dans le temps

Destiné à l'un des hommes les plus puissants de son temps, l'endroit fut meublé et décoré avec le faste qui s'imposait. Sa visite éclaire sur les goûts de l'aristocratie russe du début du XVIIIe s. : tapisseries d'Aubusson, pendules anglaises (qui fonctionnent toujours !), coffre italiens du XVIe s., carreaux de Delft, soieries chinoises… tout ce qui se faisait de mieux à l'époque est là !

COORDONNÉES

Le palais Menchikov
Дворец Меншикова
Voir p. 68
Ouniversitetskaïa naberejnaïa 15 (C3)
M° Vasileostrovskaïa
☎ 323 1112
museum.org
Programme des concerts : ☎ 311 2980
www.hermitage
Mar.-sam. 10h30-18h, dim. 10h30-17 (f. des caisses 30 min. avant)
Entrée plein tarif : 60 R (audioguide en français)

La cathédrale Saint-Isaac

La cathédrale Saint-Isaac, troisième au monde par sa taille après la basilique Saint-Pierre, à Rome, et la cathédrale Saint-Paul, à Londres, est considérée comme la plus belle de la ville. Est indiscutablement la plus impressionnante.

Pour l'anniversaire du tsar

Dès la fondation de Saint-Pétersbourg, Pierre le Grand voulut construire un sanctuaire dédié à saint Isaac, un moine byzantin du IVe s., fêté le 30 mai, jour de son propre anniversaire.

COORDONNÉES

La cathédrale Saint-Isaac
Исакиевский собор
Voir p. 55
Isaakievskaïa plochtchad
(G7)
M° Nevski Prospekt
☎ 315 9732
Jeu.-mar. 10h-18h en
été ; 11h-18h en hiver
(17h pour la colonnade)
Entrée plein tarif :
250 R (musée), 150 R
(colonnade).

La première église (1712), en bois, fut bientôt remplacée par un édifice en pierre, en permanence menacé par la proximité du fleuve. En 1735, il fut finalement ravagé par un incendie !

Une prouesse technique

L'architecte Auguste de Montferrand, dont le projet fut choisi en 1819, dut commencer par assainir le terrain marécageux avant d'y enfoncer des milliers de pilotis capables de supporter l'énorme masse de 300 000 t. Les chiffres parlent d'eux-mêmes : une capacité d'accueil de 15 000 personnes ; 48 monolithes de granit rose de 117 m de haut pour soutenir les frontons ;

350 statues sur la toiture ; une coupole à 102 m du sol… Rien d'étonnant à ce que le chantier ait duré 39 ans !

Un intérieur somptueux

Les murs sont décorés de 14 types de marbre et de 43 sortes de pierres semi-précieuses : la cathédrale abriterait ainsi 16 000 t de malachite ! Pour éviter les dégradations dues à l'humidité, les icônes de l'iconostase et les fresques ont été réalisées non pas en peinture, mais en mosaïque, par les plus grands artistes de l'époque.

Séjourner **mode d'emploi**

Hôtels

Choisir son hôtel
Malgré sa dimension historique et sa vocation touristique, la deuxième ville de Russie offre un éventail plutôt limité d'hébergements. Vous aurez donc le choix entre, d'une part, les hôtels gigantesques hérités de l'époque soviétique généralement « rafraîchis » et, d'autre part, des hôtels appartenant à de grands groupes internationaux aux normes occidentales. Cependant, des hôtels de petite taille, appelés « mini hôtels » ont fait leur apparition. Leurs atouts ? Généralement une bonne situation dans le centre historique, des prix raisonnables et une atmosphère sympathique. Cependant, à de rares exceptions près, seuls les hôtels les plus chers sont situés près de la perspective Nevski dans le centre historique.

Haute, moyenne et basse saisons
Le prix de l'hébergement varie au gré des saisons touristiques. La haute saison correspond à la période des nuits blanches (juin), la moyenne saison au printemps et à la fin de l'été (mi-avril-mai, septembre) et la basse saison à l'automne et à l'hiver. Les fourchettes de prix indiquées dans ce guide s'entendent pour une chambre double standard, TVA et petit déjeuner compris, en basse et haute saisons.

Us et coutumes hôteliers
À votre arrivée à l'hôtel, vous devrez laisser votre passeport à la réception, le temps que l'établissement s'occupe des formalités

d'enregistrement (service payant en général). On vous remettra en échange une carte déclinant votre identité et mentionnant que vous êtes client de l'hôtel. Gardez-la précieusement avec vous : elle permettra de vous identifier à l'extérieur et pourra remplacer votre passeport si vous voulez changer de l'argent.

estaurants

Saint-Pétersbourg, toutes
s cuisines du monde et
us les types de restaurants
offrent à vous. Si le personnel
usceptible de s'exprimer dans
ne langue étrangère est plutôt
re, les restaurants du centre
storique disposent de cartes
n anglais. Inutile donc de
us abonner aux restaurants
es hôtels, apprenez quelques
ots de russe et lancez-vous,
us serez rarement déçu.
ous vous indiquons en
phabet russe les noms des
staurants dont l'enseigne
t en cyrillique.

rix

ut dépend évidemment du
pe d'établissement. Dans une
innaïa, un repas moyen
leux crêpes salées, deux crêpes
ucrées, thé) revient environ
150 R, dans un *bistro* ou un
etit café (soupe ou salade,
lat chaud), à 250 R avec une
ère. Pour un dîner dans un
estaurant de bonne tenue,
omptez autour de 1 000 R
ar personne, vin compris.

articularités locales

ans la plupart des
tablissements, vous pourrez
omposer votre repas comme
on vous semblera : une
oupe et une entrée, deux
ntrées et un dessert…
ersonne ne se formalisera.
e même, vous pourrez
ous présenter à n'importe
uelle heure : les Russes ne
ont pas très à cheval sur les
oraires. Sachez aussi que la
odka et les alcools forts ne
e comptent ni au verre ni en
entilitres mais en grammes
100 g de vodka = un petit
arafon), et que, souvent, les

BLINNAÏA ET PIROJKOVAÏA

• La **blinnaïa** (блинная) est spécialisée dans le blini
(блины), crêpe à la farine de blé avec une garniture salée,
au chou (**c kapoustoï**, с капустой), aux champignons
(**c gribami**, с грибами), aux œufs de saumon (**c krasnoï ikroï**,
с красной икрой) ou sucrée (confiture, lait concentré),
généralement servie par deux ou par trois.
• La **pirojkovaïa** (пирожковая) sert le **pirojki** (пирожок),
un petit chausson de pâte à pain ou feuilletée fourré
au chou, à la viande (**c miassom**, с мясом), aux oignons
(**c loukom**, с луком) ou encore à la confiture (**c vareniem**,
с варéньем).

menus indiquent le poids des
portions ; ainsi, vous pourrez
lire « blini avec beurre et
œufs de saumon » suivi de la
mention 150/20/20 : il faut
comprendre que l'on vous
servira 150 g de crêpes, 20 g
de beurre et autant d'œufs
de saumon. Le pain (*xleb*,
хлеб) n'est jamais compris, il
faut donc préciser que l'on en
veut. Et si vous commandez
un thé ou un café, ne soyez

pas surpris de voir la serveuse
s'enquérir : *c sakharam,
c limonam ?* (« avec du
sucre, avec du citron ? »). Vous
pourrez préciser d'emblée :
biez sakhara, biez limona,
si vous n'en voulez pas. Le
service est théoriquement
inclus dans l'addition,
mais rien ne vous empêche
de laisser quelques billets
supplémentaires si vous êtes
satisfait.

POUR BIEN COMMENCER LA JOURNÉE

Dans les hôtels, même les plus simples, le petit déjeuner
constitue un vrai repas : plusieurs sortes de pains, de
gâteaux, de céréales, des blinis, des œufs, des produits
laitiers, de la charcuterie, des fruits, voire du poisson
fumé et des œufs de saumon… le tout accompagné
de thé ou de café. Profitez-en pour prendre les forces
nécessaires aux heures de marche qui vous attendent !

Hôtels

Les prix que nous indiquons sont une moyenne entre les prix haute et basse saisons, et les tarifs semaine et week-end. Les promotions et les bonnes affaires sont fréquentes, et ce quelle que soit la période. Pour bénéficier du meilleur tarif, allez en priorité sur le site de l'hôtel choisi, puis consultez les différents sites de comparatif de prix. Par exemple, sur le site www.trivago.fr, il vous suffit d'indiquer le nom de l'hôtel et vos dates de départ pour voir les prix proposés par différents sites (hotels.com et booking. com entre autres proposent très souvent des promotions et des tarifs avantageux).

Hôtel Sonya

HÔTELS À PRIX SYMPAS

La perspective Nevski

Nevsky Grand Hotel

Bolchaïa Koniouchennaïa 10 (H7)
M° Nevski Prospekt
☎ 703 3860
www.nevskygrandhotel.ru
De 2 700 à 6 900 R.

Sur la très chic Bolchaïa Koniouchennaïa et à moins de 50 m de la perspective Nevski, un hôtel de 135 chambres confortables et récentes.

Art-Hôtel Rachmaninov

Kazanskaïa oulitsa 5 (H7)
M° Nevski Prospekt
☎/🖷 571 7618
www.hotel rachmaninov.com
De 3 900 à 6 900 R.

C'est ici que le jeune Serguïe Rachmaninov séjourna alors qu'il étudiait au conservatoire. Déco personnalisée et ambiance familiale et détendue. Accueil et service parfaits.

Hors visite

Park Inn Pribaltiyskaya★★★★

Oulitsa Korablestroïteleï 14 (A3)
M° Vassileostrovskaïa et bus n°s 41, 47, 128
Bus n° 7 depuis Nevski prospekt ; navettes gratuites pour le centre-ville plusieurs fois par jour
☎ 329 2626
🖷 356 6094
www.pribaltiyskayahotel.ru
De 4 900 à 6 600 R, petit déjeuner non compris.

Cet hôtel gigantesque, refa en 2006, propose des chambr donnant sur le golfe de Fir lande. Un grand parc aquatiqu couvert a également vu le jou dans le complexe.

Hôtel Azimut★★★

Lermontovski pr. 43 (C5)
M° Teknologuitcheski Institout
☎ 740 2640
🖷 251 8890
www.azimuthotels.ru
De 2 900 à 4 100 R.

Cet établissement proche d canal de la Fontanka est à ving minutes de marche de la plac des Théâtres. Son atout : sa vu imprenable sur la ville. Splen dides couchers de soleil garanti

Moskva★★

Plochtchad Alexandra Nevskovo 2 (F4)

**° Plochtchad Alexandra
evskovo**
☎ 333 2444
📠 274 2130
www.hotel-moscow.ru
De 3 200 à 6 200 R.

ôtel de style soviétique rénové.
es chambres donnant sur
a place peuvent se révéler
ruyantes mais jouissent d'une
ue sur le monastère ; les autres
onnent sur la Neva.

HÔTELS DE CHARME

La perspective Nevski

Comfort Hotel★★★

olchaïa Morskaïa 25 (G7)
M° Admiralteiskaïa
☎ 570 6700
www.comfort-hotel.org
De 4 600 à 6 700 R.

ans le même immeuble, au
e étage, un petit hôtel sans
rande originalité mais tout
euf et très confortable à deux
as de Nevski prospekt.

Herzen House★★★

olchaïa Morskaïa 25 (G7)
M° Admiralteiskaïa
☎ 315 5550
www.herzen-hotel.com
De 3 300 à 6 900 R.

Un ancien palais des an-
ées 1830 dont le 3e étage a
té converti en petit hôtel d'une
rentaine de chambres. La
ituation est idéale à 5 minutes
e la perspective Nevski et de
'Ermitage.

Du jardin d'Été au jardin de Tauride

Hôtel Sonya★★★★

iteïny prospekt 5/19 (E3)
M° Tchernychevskaïa
☎ 406 0000
📠 406 0001
www.radissonblu.com
De 5 000 à 9 200 R,
petit déjeuner 920 R.

Cet hôtel, dédié à la sainte
prostituée de *Crime et Châtiment*, est à des années-
lumière de l'univers sordide
de Dostoïevski… et c'est tant
mieux ! Un design fabuleux
à mi-chemin entre la rigueur
scandinave et la chaleur slave.

De la place Sennaïa à la place Vosstanïa

Hôtel Dostoïevski

Vladimirski prospekt 19 (E4)
M° Vladimirskaïa
ou Dostoïevskaïa

☎ 331 3200
📠 331 3201
www.dostoevsky-hotel.ru
De 5 000 à 7 500 R.

Hôtel classique très accueillant.
Les chambres sont petites, mais
l'intérieur est cosy. Seul défaut :
les fenêtres parfois ne s'ouvrent
pas. Exigez une fenêtre qui peut
être manipulée, car l'hiver les
chambres sont surchauffées.

La place des Arts

Grand Hôtel Europe★★★★★

**Mikhaïlovskaïa oulitsa 1/7
(H7)**
M° Nevski Prospekt
☎ 329 6000
📠 329 6001
www.grandhotel
europe.com
De 11 700 à 16 000 R.

Le palace de Saint-Pétersbourg
le plus cher, le plus luxueux, le
plus confortable… et le plus
central. Chambres et service
impeccables, les restaurants
comptent parmi les grandes
tables de la ville.

LES « MINI HÔTELS »

Certains sont proposés par le biais d'agences
de voyages en France, d'autres sont à contacter
directement par e-mail ou par fax. Ces hôtels d'un
nouveau genre dans le paysage de Saint-Pétersbourg
possèdent beaucoup d'atouts (voir p. 90), et, comme les
grands, ils sont également susceptibles de vous aider
à organiser votre séjour une fois sur place.
En voici une sélection :
· **Austrian Yard★★★ :** Fourchtatskaïa oulitsa 45 (E3),
M° Tchernychevskaïa, ☎ et 📠 579 8235, www.
austrianyard.com ; autre adresse : Fourchtatskaïa oulitsa 16
(E3), ☎ 273 6065, 📠 272 6382 ; de 3 900 à 4 100 R.
· **Pouchka Inn★★★ :** naberejnaïa reki Moïki 14 (H6),
M° Nevski Prospekt, ☎ et 📠 312 0913, www.pushkainn.ru,
de 5 000 à 9 600 R.
· **Iskra★★ :** Malaïa Posadskaïa oulitsa 10 (D2),
M° Gorkovskaïa, ☎ 230 6027, 📠 233 6578,
www.iskrahotel.spb.ru ; de 2 100 à 2 700 R.
· **Kristoff★★ :** Zagorodny prospekt 9 (I8), M° Vladimirskaïa,
☎ 571 6643, 📠 764 2337, www.kristoff.ru ; de 3 700
à 5 300 R.

Restaurants

1 - Terrassa
2 - Park Djouzeppe
3 - Korovabar
4 - 22 13 Lioubimayé Myesta

Nié Goriouï

Не Горюй
Kirpitchni Pereoulok 3 (H7)
M° Admiralteiskaïa
☎ 571 69 50
T. l. j. 11h-23h
Plat autour de 400 R.

Si vous êtes las de la cuisine russe, essayez Nié Goriouï ! C'est l'une des bonnes adresses pour goûter à la cuisine géorgienne ! Si *khachapuri* (pains fourrés au fromage), *suluguni* (fromage) et *lobio* (haricots rouges à la coriandre) ne vous évoquent rien, laissez-vous guider par le menu en images. Goûtez le *phaly* (mélange d'épinards, d'aubergines, de cacahuètes et d'herbes, 300 R) ou les *shashliks* (brochettes) d'agneau (400 R). C'est délicieux et très copieux.

Terrassa

Kazanskaïa oulitsa 3/A (H7)
M° Nevski Prospekt
☎ 937 6837
www.terrassa.ru
Lun.-ven. 11h-1h,
sam.-dim. 12h-1h
Plats de 310 à 1 200 R.

La terrasse, perchée au dernier étage d'un immeuble, avec vue plongeante sur Notre-Dame-de-Kazan et sofas moelleux, justifie à elle seule de pousser la porte de ce restaurant branché où l'on peut manger japonais, italien, français, russe, thaï et chinois.

Zoom Café

Gorokhovaïa oulitsa 22 (H8)
M° Nevski Prospekt
☎ 448 5001
www.cafezoom.ru
Lun.-ven. 9h-minuit,
sam. 11h-minuit,
dim. 13h-minuit.

Coup de cœur absolu pour ce restaurant où l'on déguste dans une ambiance intime et très décontractée une cuisine simple, inventive et surtout délicieuse. Foncez sur la soupe de potiron parsemée de pistaches (140 R), le gratin de légumes au four (120 R) ou encore le merveilleux risotto aux champ[...]

gnons (260 R). Les petits prix, atmosphère « intello », en font ne adresse courue par la jeu-esse bohème.

klad n°5

клад 5
agazin Kupetz Eliseev
evski prospekt 56 (I7)
₪° Gostiny Dvor
☎ 456 6666
ttp://kupetzeliseevs.ru

e délicieux restaurant caché au ous-sol de l'épicerie Elisseïev nérite une visite pour deux aisons au moins. D'abord arce qu'une bulle d'élégance ussi cosy et intime à deux pas e la fureur de Nevski prospekt, est plus que rare. Ensuite parce ue les classiques de la cuisine usse et internationale sont i magnifiquement tournés. n conseil ? Le trio de hareng 240 R) et le tartare de saumon la mode Elisseïev (540 R) mais y a aussi des hamburgers et excellentes pâtes.

Du côté de chez Pouchkine

Bazar restoran

Bazar ресторан
Koniouchennaïa
Plochtchad 2 (H6)
M° Nevski Prospekt ou
Admiralteiskaïa
☎ 913 4545
www.bazarspb.ru
T. l. j. 11h-2h
Plat autour de 400 R.

Parmi les restaurants un peu tape-à-l'œil de la place Kon-niouchennaïa, il y a Bazar, qui mêle avec bonheur le style isba russe et les influences du Caucase et de l'Asie centrale. C'est donc dans un décor tout en bois, avec étagères garnies de conserves et céramiques colo-rées, que vous pourrez déguster une soupe de *pelmeni* puis un *qutab* d'agneau (260 R) ou des *shashliks* et du *plof ouzbek* (350 R) ! Le menu déjeuner à 290 R est imbattable.

22 13 Lioubimayé Myesta

Любимое Место
Koniouchennaïa
Plochtchad 2 (H6)
M° Nevski Prospekt ou
Admiralteiskaïa
☎ 647 8050
www.22-13.com
T. l. j. 9h-2h.

Des currys indiens, des *noodles* japonais, des plats russes, des pâtes italiennes… Lioubimayé Myesta illustre à merveille la mode pétersbourgeoise des res-taurants multi-cuisine. Bolides noirs et talons aiguilles, la jeu-nesse dorée de la ville se retrouve dans son ambiance tamisée et chic. Côté gastronomie, rien d'extraordinaire mais les plats sont honnêtes et encore abor-dables.

Korovabar

Karavannaïa oulitsa 8 (I7)
M° Gostiny Dvor
☎ 314 7348
Dim.-jeu. 12h-1h,
ven.-sam. 13h-3h
De 1 000 à 1 500 R.

Comme son nom l'indique en russe, tout dans ce restaurant rappelle la vache : des peaux sur les murs ou sur les cous-sins jusqu'au litre de lait que vous pouvez commander à la carte. Bien entendu, les plats de viande y sont excellents, mais les soupes, les salades et le pain fait maison valent tous les plats de viande.

Park Djouzeppe

Парк Джузеппе
Naberejnaïa Kanala
Griboïedova 2/B (H6)
M° Nevski Prospekt
☎ 571 7309
Lun.-ven. 11h-1h,
sam.-dim. 11h-2h
De 1 000 à 1 500 R.

Ce restaurant aux couleurs italiennes bénéficie d'un em-placement privilégié à l'angle du canal Griboïedova et de la Moïka. Au 2e étage, vous aurez une vue imprenable sur le toit de l'église, et, l'été, la très agréable terrasse est un lieu unique pour déguster une copieuse pizza à moitié prix (en semaine de 12h à 16h).

dégustation « Spirit of Russia », qui propose de goûter cinq hors-d'œuvre différents accompagnés de cinq vodkas.

Place des Arts

Caviar Bar

Grand Hôtel Europe,
er niveau
Mikhaïlovskaïa oulitsa 1/7
H7/I7)
M° Nevski Prospekt
☎ 329 6000
. l. j. 17h-minuit.

Dans la salle où la décoration raditionnelle a su rester discrète, n vous servira le meilleur de la uisine russe : soupes, *pelmini*, linis et, bien sûr, caviar. L'idéal st de commencer par l'assiette

Pouchka Inn

Пушка Инн
Naberejnaïa reki Moïki 14
(H6)
M° Nevski Prospekt
☎ 571 3724
T. l. j. 8h-5h
Petit déjeuner 550 R.

Ce restaurant propose dans un cadre moderne, avec vue sur le canal pour certaines tables, de très bonnes spécialités russes : borchtch, blinis, toutes sortes de préparations à base de champignons... *Pouchka* signifie « canon » en russe et l'endroit est également un petit hôtel (voir encadré p. 93). Un bon choix dans le quartier.

Obchtchestvo Tchitikh Tarelok

Общество Чистых Тарелок
Gorokhovaïa oulitsa 13 (G7)
M° Admiralteïskaïa
☎ 934 9764
http://cleanplates.ru
Lun.-ven. 12h-2h,
sam.-dim. 12h-6h.

C'est le dernier né des bars et restaurants résolument anti bling-bling qui fleurissent dans le bas de Gorokhovaïa. Mais ce « Club des assiettes propres », tout droit sorti du design minimaliste de la Scandinavie voisine, ne manque pas pour autant de style. Tout comme sa carte qui picore dans toutes les cuisines : saumon teriyaki, chawarma, bruschetta (170 R), soupe tom yum et hamburgers (240-290 R). Délicieux.

Oliva

Олива
Bolchaïa Morskaïa oulitsa
31 (G7)
M° Nevski Prospekt
☎ 314 6563

www.viadelloliva.ru
T. l. j. 12h-minuit
De 1 000 à 1 500 R.

Les trois salles de cette taverne grecque aux couleurs chaleureuses vous dépayseront aussi bien que les savoureux plats du menu. Plusieurs fois par semaine, un groupe de musique traditionnelle grecque vous invitera à la danse, et les enfants trouveront une grande salle de jeux qui les ravira. Un coin d'été pendant les soirées d'hiver...

Mouzyka Krych

Музыка крыш
1-ïa Sovietskaïa oulitsa
12 (E4)
M° Plochtchad Vosstania
☎ 717 4678
T. l. j. 11h-8h
Plats de 500 à 700 R.

L'intérieur de ce petit restaurant répond au doux nom de « La Musique des toits ». Plusieurs fois par mois, les soirées deviennent animées au son des concerts qui ponctuent l'ambiance très feutrée et intimiste de ce lieu qui vous transporte dans un autre univers, où la cuisine est savoureuse et à petit prix.

Blinni Domik

Блинный домик
Kolokolnaïa oulitsa 8 (E4)
M° Dostoïevskaïa ou
Vladimirskaïa
☎ 315 9915
T. l. j. 10h30-23h30
Autour de 600 R.

Depuis près de 250 ans, on fait des blinis à cette adresse. C'est dire si l'endroit porte une longue histoire de tradition. Les deux petites salles boisées de ce restaurant sont particulièrement chaleureuses et les serveurs très aimables. Vous pourrez également déguster plusieurs plats traditionnels

russes très copieux aux noms pleins de poésie. Un endroit à ne pas manquer.

Zver

Зверь
Alexandrovski park 56 (D2)
M° Gorkovskaïa
☎ 232 2062
www.restoranzver.spb.ru
T. l. j. 12h-23h.

Il faut un appétit d'ogre et une sérieuse aversion pour les contes pour s'attabler à la table de Sve Car ici, les grosses bébêtes (Zver attendrissantes de notre enfanc finissent sur un grill, parfumée au genévrier, au cumin ou au thym : élan, sanglier, biche... en saucisses (300-500 R) o en brochettes, même l'ours d Boucle d'or n'y échappe pas ! L mieux, c'est encore de les goûte tous (planche de viandes gril lées, 2 800 R).

Pirosmani

Пиросмани
Bolchoï prospekt 14 (C2)
M° Sportivnaïa ou
Gorkovskaïa
☎ 235 6456
T. l. j. 11h-23h
Plats de 600 à 800 R.

MAIS AUSSI

le plus célèbre des restaurants géorgiens de Saint-Pétersbourg. On s'y presse pour son décor kitsch de village de montagne traditionnel (cours d'eau compris !) mais surtout pour sa très bonne cuisine : délicieuses aubergines farcies, brochettes moelleuses (*chachlyki*), copieuses soupes (*khartcho*). Réservation indispensable.

Mari Vanna

Мари Vanna
Oulitsa Lenina 18 (C2/D2)
M° Petrogradskaïa
☎ 230 5359
www.marivanna.ru
T. l. j. 12h-23h
Plats de 420 à 820 R.

C'est un dimanche pluvieux d'automne, vous voilà réfugié dans la maison de campagne de votre *babouchka* (« grand-mère »), le parquet grince, les étagères croulent sous les bocaux et les conserves de fruits, tandis qu'à la télévision passe un de ces vieux films en noir et blanc qui a bercé votre enfance… Bienvenue chez Mari Vanna, une cuisine purement russe rondement mitonnée… Sûrement la plus belle expérience de Saint-Pétersbourg.

Restoran

Ресторанъ
Tamojenny pereoulok 2 (G6)
M° Vasileostrovskaïa
☎ 327 8979
www.elbagroup.ru
T. l. j. 12h-minuit
Plats de 500 à 800 R.

Le minimalisme de ce restaurant au pied de la Kunstkamera a de quoi vous ragaillardir après les ambiances isba et le clinquant « nouveaux russes ». Une atmosphère quasi monacale, où l'on comprend au premier coup d'œil sur la carte qu'ici la frugalité est un péché : goûtez le ragoût de morue, la langue de bœuf ou les brochettes maison (*chachliks*).

1 - Oliva
2 - Obchtchestvo Tchitikh Tarelok
3 - Zver

Rousskaïa ribalka

Русская Рыбалка
Ioujnaïa doroga 11
Île Krestovski (A1)
M° Krestovski Ostrov
☎ 323 9813
Dim.-jeu. 12-minuit,
ven.-sam. 12h-1h
Autour de 1 000 R ; cartes de paiement refusées.

Vous êtes tenté par un moment de détente à la campagne ? Rendez-vous à la « Pêche russe », sur l'île Kretsovski (« de la Croix »). Ce restaurant est installé dans une maison traditionnelle en bois qui surplombe un lac… où les clients pêchent eux-mêmes leur repas ! Sterlets, esturgeons, truites et autres poissons d'eau douce attendent d'être pris et préparés à la demande. Vous pouvez laisser le soin à la maison de procéder à votre place ou choisir un plat de viande à la carte.

Déjeuner
sur le pouce

1 - Café Laima (p. 100)
2 - Idiot (p. 100)
3 - Wolkonsky

Wolkonsky

Волконский
Nevski prospekt 15 (H7)
M° Admiralteiskaïa
☎ 728 2336
www.wolkonsky.com
T. l. j. 8h-23h.

Des cafés à la française qui ont fleuri ces dernières années, Wolkonski est notre petit préféré. Et pas seulement parce que croissants et baguettes sont croustillants à souhait ! Le cadre est élégant, le service très appliqué et la carte offre plein de délicieuses options pour déjeuner léger : des quiches (250-300 R), des sandwichs (220-270 R), des salades copieuses, des pâtisseries, tout est frais et préparé à la commande.

Datchniki

Дачники
Nevski prospekt 20 (H7)
M° Admiralteiskaïa ou
Nevski Prospekt
☎ 312 9160
Lun.-jeu., dim. 12h-1h,
ven.-sam. 12h-2h.

Rondins de bois, parquet usé, rideaux fleuris et vieux abats-jour… ça fleure bon la datcha et la campagne russe des années 1960 chez Datchniki ! La mise en scène est bien un peu appuyée mais c'est plutôt réussi et la carte affiche de bons classiques du genre : *pelmeni* aux légumes, *skoblyanka* (pomme

e terre frites avec du porc, des
matates et des oignons) *ukha*
(soupe de poisson), *rastegai*
(petite tourtes au poisson) et des
poissons ou viande au barbecue
190-400 R).

ili Bili

Кили-Были
Nevski prospekt 52 (I7)
M° Gostiny Dvor
☎ 314 6230
Mai-oct. t. l. j. 24h/24,
nov.-avr. t. l. j. 9h-23h
Env. 450 R pour un plat ;
Cartes de paiement refusées.

pparue depuis peu, la chaîne
es cafés « Il était une fois »
e distingue par sa décoration
oignée, sa propreté irrépro-
hable, la taille généreuse
es portions que l'on y sert et
es prix un peu au-dessus de
a moyenne. Idéal pour une
ause-café accompagnée d'un
ros gâteau ou d'une coupe de
ruits en gelée, l'endroit est aussi
gréable pour déjeuner : salade
u plat léger au menu.

Traktir Iolki Palki

Malaïa Koniouchennaïa
oulitsa 9 (H7)
M° Nevski Prospekt
☎ 571 0385
T. l. j. 7h-5h
Buffet de 500 à 1 000 R.

L'un des meilleurs rapports
qualité-prix de la ville pour
une formule authentiquement
russe : celle du *teleg*, un chariot
qui supporte un généreux buffet
de hors-d'œuvre où l'on se sert à
volonté salades, harengs et autres
délicieux *zakouski*. La carte propose aussi toute une sélection de
plats (soupes, *pelmeni*…).

Mocco Club

Мокко-клуб
Nevski prospekt 27 (H7)
M° Nevski Prospekt
☎ 312 1080
T. l. j. 9h-23h
Env. 500 R pour un plat.

Un dessert, un café, des plats
traditionnels russes, des sushis,
il y en a pour tous les goûts
dans ce café-restaurant d'une
centaine de places. Le service
y est rapide et efficace. On n'y
passe pas la soirée mais c'est
l'endroit pour une pause bienvenue après quelques heures
de visite afin de se reposer et de
reprendre des forces.

Pirojkovaïa Metropol

Пирожковая Метрополь
Sadovaïa oulitsa 22 (I7)
M° Gostiny Dvor
☎ 310 1875
Lun.-ven. 8h-21h, sam.
10h-21h, dim. 10h-20h
Plats de 200 à 600 R.

Installée dans ce bâtiment
depuis plusieurs dizaines d'années, la Pirojkovaïa Metropol
est une institution. Comme
son nom l'indique, on y vend
essentiellement des *pirojki*,
mais aussi des gâteaux secs et
d'excellentes pâtisseries, ainsi
qu'en témoignent les longues
files d'attente. On consomme

sur place, debout devant l'une
des quelques tables hautes, ou
bien on emporte. Les clients défilent à toute allure car l'endroit
est réputé et bon marché, aussi
soyez bien prêt à passer commande votre tour venu !

Soup Vino

Суп Вино
Kazanskaïa oulitsa 24 (H8)
M° Nevski Prospekt
☎ 312 7690
www.supvino.ru
T. l. j. 12h-23h.

Poussez la porte de ce restaurant
de poche à deux minutes de la

PETIT LEXIQUE

Vous pourrez toujours commander :
– Dans un *bistro* :
• **солянка мясная / рыбная** *solianka miassnaïa /ribnaïa* :
soupe à la viande/au poisson
• **борщ** *borchtch* : soupe à base de betteraves
(éventuellement froide en été : **холодный борщ**
kholodni borchtch)
• **салат Оливье** *salat Olivié* : macédoine de légumes
• **салат витаминный** *salat vitamimni* :
choux blancs, carottes
• **бефстроганов** *bifstroganof* : bœuf en sauce
– Dans une *blinnaïa* spécialisée dans le blini (une crêpe
épaisse à la farine de blé) :
• **блины с красной икрой** *blini c krassnoï ikroï* :
blini aux œufs de saumon
• **блинчики с грибами** *blintchiki c gribami* :
blini aux champignons
• **блины со сметаной** *blini so smetanoï* : blini à la crème
– Dans une *pirojkovaïa*, où vous goûterez aux *pirojki*, des
petits chaussons de pâte à pain ou feuilletés fourrés :
• **пирожок с капустой** *pirajok c kapoustoï* : pirojki au chou
• **пирожок с мясом** *pirajok c miassom* : pirojki à la viande

trépidante perspective Nevski : quelques tables et tabourets hauts, une lumière douce, la chaleur des boiseries, un carrelage mosaïque des années 1900 et une cuisine très simple sous influences française et asiatique. À la carte : des salades, des soupes et quelques plats simples comme ces noix de Saint-Jacques aux épinards (390 R), le tout accompagné d'excellents vins européens et du monde (Picpoul de Pinet, 15 cl, 150 R).

Place des Arts

Café Laima

Кафе Лайма
Naberejnaïa Kanala
Griboïedova 16 (H7)
Mᵉ Nevski Prospekt
☎ 449 1870
T. l. j. 24h/24
Lunch autour de 160 R.

Au cœur du centre historique de Saint-Pétersbourg, ce café de restauration rapide est l'endroit idéal pour se restaurer entre deux visites de musées ou à n'importe quelle heure du jour ou de la nuit. Le menu en russe et en anglais est affiché à côté de la caisse où vous passez commande avant d'attendre vos plats à peine quelques minutes dans la magnifique salle du 2ᵉ étage.

Du jardin d'Été au jardin de Tauride

Kolobok

Колобок
Oulitsa Tchaïkovskovo 40 (E3)
Mᵉ Tchernychevskaïa
☎ 272 7320
T. l. j. 7h30-21h
Plats de 80 à 160 R.

La version moderne et aseptisée (dans le bon sens du terme !) de la *pirojkovaïa*. Laissez-vous guider par l'odeur des petits pains chauds que l'on sent de l'extérieur ! Vous trouverez ici de délicieux *pirojki*, des salades, quelques plats, le tout pour un prix modique. Vous pouvez emporter votre butin ou le consommer sur place, dans la grande salle au mobilier moderne ou sur la terrasse extérieure. L'endroit est aussi parfait pour le petit déjeuner.

De l'Amirauté à la Nouvelle-Hollande

Idiot

Идиот
Naberejnaïa reki Moïki 82 (G8)
Mᵉ Sadovaïa
☎ 315 1675
• Restaurant : t. l. j. 11h-minuit
• Bar : t. l. j. 11h-1h.
Menu à 1 300 R.

Cet endroit unique en son genre à Saint-Pétersbourg rend hommage au roman de Dostoïevski dont il porte le nom. À la fois café, restaurant, bibliothèque et salle de jeux, il se compose de plusieurs salles voûtées à l'éclairage tamisé, confortablement meublées dans un style brocante. Les étagères sont chargées de livres et de jeux de société que les clients peuvent emprunter. La carte, essentiellement végétarienne, propose soupes, salades et plats légers qui composent un petit repas idéal.

De la place Sennaïa à la place Vosstania

Kompot

компот
Oulitsa Joukovskovo 10, angle oulitsa Tchekhova (E4)
Mᵉ Plochtchad Vosstania
☎ 719 6542
T. l. j. 12h-minuit
Plats de 140 à 330 R.

Un univers lumineux et coloré, une salle non-fumeurs et un personnel très accueillant, voilà déjà une bonne raison de découvrir Kompot. Mais ce restaurant offre en plus quelques spécialités charcutières et fromagères d'Arménie, de Géorgie et du Kazakhstan que vous aurez peu souvent l'occasion de goûter ailleurs. La maison offre un verre de Kompot, une boisson traditionnelle à base de fruits que l'on sert encore dans tous les foyers de Russie.

Ou Tiochtchi na blinakh

У тёщи на Блинах
Gorokhovaïa oulitsa 43 (H8)
Mᵉ Sennaïa Plochtchad
☎ 310 4405
T. l. j. 24h/24
Plats de 100 à 250 R ;
cartes de paiement refusées.

RETROUVEZ ÉGALEMENT :

1 - Balzak
2 - Kompot

« Chez la belle-mère pour des blinis » : voilà la proposition qui est faite ici ! Le décor figure un peu celui d'une maison de campagne traditionnelle et les blinis, sucrés ou salés, sont à l'honneur. Mais pas seulement ! Car la belle-mère en question prépare avec succès un tas d'autres bonnes choses : soupes, salades, viandes, poissons… L'endroit fonctionne comme un self-service. C'est bon et bon marché.

Balzak
Бальзак
Oulitsa Maïakovskovo 14 (E4)
M° Maïakovskaïa
☎ 275 9089

MAIS AUSSI

À retrouver dans le chapitre Visiter :
• Literatournoïe Kafé (p. 42)
• Stolle (p. 48)
• Mozzarella bar (p. 71).

T. l. j. 9h-23h
Repas complet env. 700 R.

Une halte sympathique et savoureuse non loin de Nevski : ce petit café situé à côté du très chic restaurant du même nom vous proposera un grand choix de délicieux *pirojki* salés et sucrés, des salades et des pâtisseries.

Vostotchni
Express Boufiet
Восточный Экспресс Буфет
Oulitsa Marata 21(E4)
M° Vladimirskaïa
☎ 314 5096
T. l. j. 11h-23h.

Bienvenue au « Buffet Orient-Express ». La tête de locomotive sur le mur extérieur vous renseignera si l'enseigne ne l'a pas déjà fait. À l'intérieur, photos de trains et mobilier digne de celui d'un wagon. La cuisine n'a rien à voir avec celle servie dans les trains russes car elle est vraiment bonne.

Tchebourechnaïa
Чебуречная
6-ïa linia 19 (C3)
M° Vasileostrovskaïa
☎ 323 8029
T. l. j. 11h-minuit
Plats de 80 à 350 R ;
cartes de paiement refusées.

Une petite cantine caucasienne toute simple qui s'est fait, comme son nom l'indique, une spécialité du *tchebourek*, feuilleté farci à la viande. Il y a aussi des soupes et des salades d'inspiration orientale.

Cafés de jour et
salons de thé

1 - Du Nord 1834
2 - Troïtski Most
3 - Capuletti

Café Singer

Кафе Зингеръ
Nevski prospekt 28,
Dom Knigui (H7)
M° Nevski Prospekt
☎ 571 8223
T. l. j. 9h-23h.

Installé au 2e étage de la librairie Dom Knigi (p. 122), dans cet immeuble Art nouveau qui fut le siège de la maison Singer en Russie, c'est l'endroit idéal pour un thé ou un chocolat (150 R), accompagné de pâtisseries d'Europe centrale à l'image de ces délicieux *strudels* aux pommes et aux prunes (200 R).

Abrikossov

Абрикосов
Nevski prospekt 40 (I7)
M° Gostiny Dvor

☎ 312 2457
T. l. j. 9h-23h
Repas complet 1 450 R.

Un des rares cafés de la ville à avoir conservé son décor d'origine tout en chinoiseries du XIXe s. On y propose un vaste choix de cafés, thés, jus de fruits frais et pâtisseries mais aussi de vrais plats. L'accueil est sympathique et les produits sont d'excellente qualité.

Garçon

Гарсон
Naberejnaïa Kanala
Griboïedova 25 (H7)
M° Nevski Prospekt
☎ 570 0349
www.garcon.ru
T. l. j. 10h-22h.

Créé par François Gérard Proudon, un petit gars de la Seine-et-Marne, la boulangerie-pâtisserie Garçon remporte un succès croissant. Quelques tables au bord du canal, une chanson de Trenet, les bulbes multicolores de l'église du Sauveur-sur-le-Sang en ligne de mire… Au menu : flan parisien, tarte périgourdine, baba au rhum ou encore un Paris-Brest et de bonnes baguettes comme à la maison… non, meilleures encore.

Boulotchnaïa

Булочная
Nevski prospekt 66 (I7)
M° Gostiny Dvor
☎ 314 8559
T. l. j. 24h/24.

Cette boulangerie-pâtisserie faisant aussi petit magasin d'alimentation et café est l'une des rares de ce type à subsister sur la perspective Nevski. Dans la pure tradition soviétique, vous paierez vos achats à la caisse de chaque petit rayon. Vous commanderez votre pâtisserie au comptoir et vous irez vous asseoir à l'une des quelques tables installées au pied des grandes baies vitrées donnant sur le palais Anitchkov.

De l'Amirauté à la Nouvelle-Hollande

Bouché

Malaïa Morskaïa oulitsa 7 (G7)
M° Nevski Prospekt
☎ 315 5371
T. l. j. 9h-22h
Viennoiseries de 30 à 160 R ;
cartes de paiement refusées.

Pour une pause-café dans l'après-midi, cette boulangerie-pâtisserie propose d'excellents gâteaux (comme le nom de cet établissement l'indique, on n'en fait qu'une bouchée…), mais aussi une petite restauration. Un endroit agréable pour se prélasser.

De la place Sennaïa à la place Vosstanïa

Du Nord 1834

Дю Норд с 1834 года
Ligovski prospekt 41 (angle Nevski prospekt et Ligovski prospekt) (E4)
M° Plochtchad Vosstanïa
☎ 578 12 45
www.dunord.spb.ru
T. l. j. 24h/24.

Voilà un café qui sonne français jusque dans son nom. C'est qu'il reprend celui de la première pâtisserie française de la ville, ouverte dans le même

immeuble en 1834. Après le tonitruant « Bonjour monsieur » ou « Bonjour madame » des serveurs, vous pourrez vous attabler et déguster pains aux raisins, croissants aux amandes et millefeuilles, ou bien déjeuner d'une salade au saumon (110 R) ou de rillettes de canard (230 R) accompagnées d'une bonne baguette de campagne (40 R)… le rêve quoi !

Baltiski Khleb

Балтийский хлеб
Vladimirski prospekt 19,
1er et 4e étages du complexe Vladimirski Passage (voir p. 120 ; E4)
M° Dostoïevski ou Vladimirski
☎ 331 3219
1er étage : 8h30-22h
4e étage : 11h-22h
Pâtisseries de 50 à 160 R.

Un grand choix de pains parfumés, de savoureuses pâtisseries, viennoiseries, et de boissons chaudes est proposé dans cette boulangerie-pâtisserie réputée. La file d'attente y est souvent longue, mais cela va vite : préparez-vous à passer commande ! Plusieurs autres adresses dans la ville, dont Gredtcheski prospekt 25 (E3), M° Plochtchad Vosstanïa.

Albina

Oulitsa Vosstanïa 10 (E4)
M° Plochtchad Vosstanïa
☎ 273 7459
T. l. j. 8h-22h
Cartes de paiement refusées.

Une excellente adresse pour les amateurs de gâteaux sans trop de crème (comme c'est souvent le cas en Russie) et de bon cock-

tails de café. Le pain y est excellent : la bonne odeur ne vous trompera pas. Certainement le seul endroit de Saint-Pétersbourg où vous pouvez trouver du pain à la citrouille…

Autour de la forteresse Pierre-et-Paul

Troïtski Most

Троицкий Мост
Kronverkski prospekt 35 (D2)
M° Gorkovskaïa
☎ 326 8221
T. l. j. 9h-23h
Plats de 200 à 250 R ;
cartes de paiement refusées.

C'est un des premiers cafés alternatifs qui ont vu le jour il y a une dizaine d'années. Les stores en paille et les éléphants en céramique qui trônent dans la vitrine donnent le ton : Troïtski Most (« le pont de la Trinité », voisin) appartient à la communauté Hare Krishna de la ville ! On vous régalera de tisanes bio et autres préparations végétariennes diététiquement correctes.

Perspective Kamennoostrovski

Capuletti

Bolchoï prospekt 74
Île Petrogradski (D2)
M° Petrogradskaïa
☎ 232 2282
Lun.-jeu. 12h-1h,
ven.-dim. 12h-minuit.

Une enseigne clin d'œil aux amoureux de Vérone, un chef nommé Gaetano Calabrese, vous l'aurez deviné, Capuletti est un petit morceau d'Italie transplanté au cœur de la Venise du Nord. Cette *trattoria* est aussi une magnifique *pasticceria* où déguster *bocconcini* (30 R), *cannoli di sfoglia* (50 R), *torta caprese* (30 R), babas (30 R) et meringues italiennes.

MAIS AUSSI

À retrouver dans le chapitre Visiter :
• Brodiatchaïa Sabaka, Art Podval (p. 47)
• Café Mozart (p. 63).

Shopping **mode d'emploi**

La Russie n'est traditionnellement pas un pays où l'on se rend pour faire du shopping… mais vous allez découvrir que Saint-Pétersbourg réserve d'excellentes surprises en la matière ! En dehors des souvenirs typiques et de quelques spécialités, vous verrez beaucoup de produits allemands et scandinaves dans les magasins. Mais la mode russe se porte aussi très bien et est encore abordable. Pour le reste, attendez-vous à trouver des prix similaires à ceux pratiqués en France, sauf peut-être pour les anoraks, les combinaisons de ski du Grand Nord et les fourrures, très bien soldés en été. Concentrez-vous sur l'ambre, la porcelaine, les livres d'art et la gastronomie.

Où faire ses achats ?

Dans le domaine du shopping aussi, tous les chemins – ou presque – mènent à la perspective Nevski, et la principale artère de la ville offre une grande concentration de tous les types de commerces. Autres points névralgiques pour les achats, les sites touristiques qui, comme vous vous en doutez, sont investis par les vendeurs de souvenirs, proposés généralement à des prix un peu plus élevés que ceux des boutiques. Au moins pourrez-vous marchander, ce qui est impensable dans un magasin traditionnel. Quoi qu'il en soit, une seule règle à suivre, en particulier pour les livres, les disques et la brocante : si quelque chose vous plaît et que vous estimez son prix raisonnable, achetez-le tout de suite car vous n'avez aucune garantie de le retrouver.

Pour vous repérer, nous vous indiquons en alphabet russe les noms des boutiques dont l'enseigne est en cyrillique.

SE REPÉRER

Nous avons indiqué pour chaque adresse Shopping sa localisation sur le plan général (B2, G8…). Pour un repérage plus facile en préparant votre week-end ou lors de vos balades, nous avons signalé sur le plan par un symbole rouge toutes les adresses de ce chapitre. Le numéro en rouge signale la page où elles sont décrites.

Horaires d'ouverture

La plupart des magasins sont ouverts du lundi au samedi de 9h à 19h, avec une pause de une heure entre 13h et 15h. Le dimanche, beaucoup ouvrent aussi leurs portes un peu plus tard et les ferment un peu plus tôt. Les grands magasins font la journée continue. Les magasins d'alimentation fonctionnent 7j/7 de 8h ou 9h à 20h, voire 22h, avec une pause de une heure pour le déjeuner ; il n'est pas rare qu'ils soient ouverts 24h/24.

Du bon usage des magasins

Une fois à l'intérieur, comment procéder ? La question peut paraître idiote mais un certain nombre de magasins fonctionnent encore « à l'ancienne », selon un système qui ne vous est pas forcément familier. Explications : dans la plupart des magasins d'alimentation, de disques et de livres, les produits sont exposés sur des étagères derrière des comptoirs (отдел, *otdiel*) gardés par des vendeuses dont le rôle est de vous remettre l'objet de votre convoitise. Repérez ce qui vous intéresse et essayez de vous faire comprendre… Une fois votre choix effectué, la vendeuse vous donnera un ticket pour payer votre achat à une caisse centrale. Vous pouvez naviguer entre plusieurs comptoirs (celui du caviar et celui des bonbons, celui des cartes postales et celui des livres d'art…), rassembler vos tickets, régler le montant total. Vous devrez faire le chemin inverse et retourner chercher vos acquisitions à chaque comptoir.

Comment payer ?

De plus en plus de boutiques acceptent les cartes de paiement ; il suffit de repérer les autocollants apposés sur les vitrines. Vous pouvez utiliser la vôtre sans crainte de la voir pirater car on ne la passera pas dans un « sabot » mais dans une machine électronique dont sortira un ticket que vous devrez signer. Cependant, de nombreux magasins ne prennent que les espèces. Ce n'est pas vraiment un problème dans la mesure où les distributeurs sont nombreux.

Douane

Les produits et les quantités des produits autorisés peuvent changer et il vaut mieux contacter l'ambassade ou le consulat pour obtenir l'actualisation des informations suivantes : vous avez le droit de sortir de Russie seulement 250 g de caviar par personne (l'exportation de caviar de la mer Caspienne est interdite). En ce qui concerne le tabac et l'alcool, la douane russe autorise 1 000 cigarettes ou 1 kg de produits dérivés du tabac, 1,5 l de liqueur ou 2 l de vin ; mais sur ce chapitre, c'est à votre arrivée en France que vous pourriez avoir des problèmes : venant de Russie, vous ne pouvez rapporter que 200 cigarettes ou 100 cigarillos et 1 l d'alcool titrant plus de 22° ou 2 l titrant moins, pour un montant total de 175 €. Au-delà de cette somme, vous devez déclarer les marchandises. Mais le point le plus délicat est celui des œuvres d'art et des objets anciens, qui nécessitent des formalités de sortie parfois longues et sans garantie d'aboutir (voir p. 117).

MAGASIN FERMÉ ?

Malgré des horaires d'ouverture très étendus (открыто, *atkrito*, « ouvert »), il n'est pas impossible que vous trouviez porte close (закрыто, *zakrito*, « fermé ») alors que vous ne vous y attendiez pas. Apprenez à en décoder la raison : l'endroit peut être fermé pour l'heure de la pause (перерыв, *pererif*), pour travaux (ремонт, *remont*), grand nettoyage (санитарный день, *sanitarny dien*), inventaire (учет, *outchiot*)… Les mêmes explications peuvent généralement s'appliquer à la plupart des musées.

La mode
au féminin

Fini les blouses « journée au kolkhoze », adieu corsages et jupes à brillants, bye-bye tailleurs caca d'oie… La mode russe est en ébullition et met en émoi les podiums de Milan, Paris et Londres. Tatiana Parfionova, Ekaterina Smolina, Daria Razumikhin, Oleg Brioukov… jeunes créateurs ou stylistes aguerris, autant d'occasions de vous faire une garde-robe 100 % russe.

Lyyk (Look)

Naberejnaïa Kanala Griboïedova 74 (G8)
M° Sennaïa Plochtchad ou Sadovaïa
☎ 939 6051
www.lyyk.ru
T. l. j. 12h-23h.

Il fallait bien aux effectifs pléthoriques mais géniaux

de la mode russe un écrin à la hauteur. C'est fait grâce à Lyyk (ça se prononce look) et son espace tout blanc et minimaliste. Il y a évidemment les créations de l'incontournable pétersbourgeois Leonid Alexeev (gabardine env. 12 000 R, pantalon 7 000 R) mais aussi celles du moscovite Cyrille Gassiline qui mêlent parfaitement féminité, fonctionnalité et confort (robes env. 10 000 R) et d'autres designers à découvrir.

Marmalade

Nevski prospekt 48 (I7)
Galerie Passage, 2e étage
M° Gostiny Dvor
☎ 931 7278
www.kulturra.ru

Lun.-sam. 10h-21h, dim. 11h-21h.
Cette boutique de la célèbre galerie Passage réunit tout ce que la Russie compte de jeunes créateurs de mode prêt-à-porter. À l'affiche : les manteaux à col Vichy d'Arbus (5 000 R), les robes classiques mais pas trop sages de

rodulin's (3 500 R) ou celles
us enfantines de la ligne
onia Marmeladova (5 000 R)
éée par le pétersbourgeois
erguei Bondarev.

katerina Smolina

aravannaïa oulitsa 12 (I7)
1° Nevski Prospekt
☎ 938 1931
ww.ekaterinasmolina.ru
l. j. 11h-21h.

elle qui débuta en 2005 dans
n petit atelier avec seulement
eux machines à coudre est en
asse de devenir une star de la
node russe… Alors poussez
a porte de cet élégant salon
vant que les tarifs ne flambent
our découvrir les manteaux
ux couleurs éclatantes et
ux lignes pures (autour
e 12 000 R) de la styliste
étersbourgeoise. Classicisme
endance rock'n roll.

arina

iteïni prospekt 12 (E3)
M° Tchernychevskaïa
☎ 272 2863
l. j. 10h-21h.

a grande boutique de
iteïni prospekt propose
es créations de la marque
arina de Saint-Pétersbourg,
e fabrication locale comme
on nom l'indique. Le style
es collections est plutôt
lassique, très féminin et
l'un glamour reposant après
a mode plutôt tapageuse
le la rue. Des vêtements de
onne qualité à des prix
bordables (1 700 R pour une
upe, 2 000 R pour une robe,
000 R pour une veste).

Oggi

Au 2e étage de la Sadovaïa
inia du Bolchoï Gostiny
vor (voir p. 121 ; I7)
Oulitsa Marata 86
au 2e étage ; D5)
Au Moskovski Ounivermag
voir p. 121 ; HP).

Contrairement à ce que
pourrait laisser croire leur
nom, ces vêtements ne sont
pas italiens mais 100 %
russes, dans la conception
et, la plupart du temps, dans
la réalisation (certains sont
made in China). Ils sont
présentés par harmonies de
couleurs, dans des corners
clairs et agréables. Le style ?
Un prêt-à-porter destiné aux
teenagers et à leurs mamans,
qui n'est pas sans rappeler
une marque espagnole partie
depuis quelques années
à l'assaut de nos armoires.
Vous voyez laquelle ? Les
prix vous sembleront très
raisonnables pour la qualité :
vestes autour de 2 500 R, robes
autour de 1 200 R.

Celebrity

Komissionni brend-boutik
Bolchaïa Koniouchennaïa
oulitsa 1 (H6)
M° Nevski Prospekt
☎ 498 5908
www.celebritycom.ru
T. l. j. 12h-21h.

Envie d'un manteau
Nina Ricci, de chaussures
Chanel ou d'une robe
Sarah Burton pour
Alexander McQueen ? Aucun
moyen de vous l'offrir ?
Celebrity est fait pour vous.
Cette petite boutique revend
vêtements et accessoires
d'occasion de grands
couturiers avec des rabais
jusqu'à 80 ou 90 % ! Ralph
Lauren, Christian Dior, Gucci,
Burberry ou Mark Jacobs, tous
les grands sont là.

FOURRURE MODE D'EMPLOI

Les fourrures pourront vous sembler chères pour la
Russie. La meilleure saison pour réaliser une bonne
affaire, c'est l'été, rares sont les boutiques qui ne font pas
de réductions. Regardez bien la provenance et le pays
de fabrication des peaux : beaucoup sont italiennes,
canadiennes, voire françaises…L'hiver venu, c'est dans
les magasins de la marque Toto que s'habillent les
Pétersbourgeoises. Vous y trouverez fourrures, peaux
lainées (vison de 23 000 à 130 000 R) mais aussi des sacs
à main, des chapeaux, des gants.

Toto :
• Nevski prospekt 74 (I7-8) – M° Maïakovskaïa
☎ 579 3590
• Bolchoï prospekt 94, Île Petrogradksi (D2)
M° Petrogradskaïa – ☎ 346 4294
www.totogroup.ru – T. l. j. 11h-20.

Mode homme

Que vous l'aimiez sportive et nationaliste version blanc-bleu-rouge ou nostalgique tendance Brejnev, expérimentale et avant-gardiste ou bien guerrière et désespérée, la mode russe pour les hommes est à l'image de la société tout entière : rude, acerbe et déchirée mais pas sans espoir ni tendresse. Boutiques concept et showrooms fleurissent, où vous pourrez refaire votre penderie à des prix encore très raisonnables.

FOSP

• Bolchoï Gostiny Dvor,
2e étage de la Perinnaïa
Linia (voir p. 121 ; I7)
M° Gostiny Dvor
☎ 710 5285
• Vladimirski prospekt 18
(E4)
M° Vladimirskaïa
ou Dostoïevskaïa
T. l. j. 10h-22h30.

Hors des griffes occidentales, peu de choix pour les hommes soucieux de leur élégance… À une exception près : cette marque de Saint-Pétersbourg qui fabrique des vêtements de style classique à la qualité irréprochable depuis 1919 !

Rien d'original mais de bons costumes à des prix abordables (env. 2 800 R, en lainage léger).

Forward

Vosstanïa oulitsa 51 (E3)
M° Plochtchad Vosstanïa
☎ 719 7482
www.forward-sport.ru
T. l. j. 10h-20h.

Avec un ambassadeur aussi prestigieux que Dimitri Medvedev, la marque de vêtements sportifs à l'aigle bicéphale est devenue incontournable dans le paysage sportif russe. Polos (1 000 R), survêtements (5 200 R pour celui

s cérémonies), veste
chaussures de sport
000-3 000 R), le plus
uvent aux couleurs de la
ussie, Forward habille plus
200 équipes nationales dans
e soixantaine de sports.

anya Concept Store
aberejnaïa Kanala
bvodnovo 60 (D5)
° Obvodny Kanal
710 5878
ww.banyaconcept.com
un.-ven. 12h-21h,
am.-dim. 12h-22h.

en caché au fond d'une
rrière-cour (il faut passer
ous le porche du n° 20),
e concept store regroupe
esigners scandinaves,
siatiques et russes, bijoux
avant-garde, jouets
esign et livres d'art. Pulls
costumes Reseröds,
réations streatwear de Gosha
ubchinsky, jeans ultra
ndance des suédois DR
enim et Pace (env. 3 800 R)
t une sélection de vêtements
t de chaussures vintage
olouson en cuir autour de
500 R)… le comble de la
ranchitude à St-Pétersbourg.

abrika Dynamo
eninski prospekt 140
HP par C5)
M° Leninski Prospekt
334 3669
ww.fsidinamo.org
. l. j. 10h-20h.

réée sous Khrouchtchev au
ébut des années 1960, cette
narque de chaussures et de
êtements sportifs a réussi sa
onversion à l'ère capitaliste.
e magasin d'usine propose
ane dizaine de modèles dont
es plus célèbres, les sneakers
Gus 1 et Gus 2 (chaussures
le sport à lacets en cuir et
elours, env. 1 200 R) sont
evenus en faveur auprès de
a jeunesse pétersbourgeoise.

Kulturra Showroom
Nevski prospekt 48
Galerie Passage,
3e étage (I7)
M° Gostiny Dvor
981 2350
www.kulturra.ru
Lun.-sam. 10h-21h,
dim. 11h-21h.

Le showroom Kulturra
offre le meilleur concentré
de l'avant-garde de la
mode masculine russe.
Les créations de Konstantin
Gayday (3 000 R le tee-shirt),
les sacs de Nutsa Modebadze
(Charlotte Gainsbourg
adore !) et les robes de
Leonid Alexev (env. 10 000 R)
défilent déjà sur les plus
grands podiums tandis que
les créations expérimentales
et unisexes de Great Criss
(pantalons env. 3 500 R)
et de Bearded Baby (tee-shirt
env. 1 600 R) sont de belles
découvertes.

DESIGNERS RUSSES

Une église orthodoxe transformée en salle de boxe
de l'époque soviétique pour présenter une collection
streetwear mettant en scène la jeunesse des cités russes
en version hip hop, tendance mal de vivre et pitbull…
Cela donne une idée du magma de références brassées
par le jeune styliste **Rosha Rubchinsky**, et avec lui
tout une flopée de jeunes créateurs au regard acerbe
ou ironique. À ne pas manquer : les larges foulards
lacérés et si glamour de **Vlad Krasnov**, les provocations
érotico-bling-bling et les tuniques « retour du moujik »
de **Max Chernitsov** (ses dessous sont… détonants)
ou les créations pleines d'ironie, désinvoltes et chics
de **Serguëi Bondarev** et de sa marque Bearded Baby
(« Bébé barbu »). Côté haute couture, on ne manquera
pas la mode chic et épurée de **Leonid Alexev** et les
créations, connues sur les podiums européens, de
Konstantin Gayday et de **Borodulin's**.

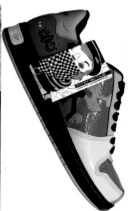

Mode jeune

Contre l'invasion des Zara, H&M et autres Dolce Gabbana, l'industrie de la mode russe a créé de beaux fleurons nationaux pour habiller adolescents et jeunes adultes. Une mode créative et démocratique, signée Violet, Extra, Be Free ou Faberlic pour les produits de beauté, à mettre absolument dans sa valise.

Tkatchi

Naberejnaïa Kanala
Obvodnovo 60 (300 mètres
à gauche en sortant du
métro ; D5)
M° Obvodny Kanal
☎ 8 911 206 5256

www.tkachi.com
T. l. j. horaires variables.

C'est dans une ancienne usine textile (Tkatchi signifie « tisserands ») qu'a ouvert une galerie marchande d'un genre à part. Plutôt que les habituelles boutiques de marques internationales, Tkatchi réunit de jeunes créateurs pétersbourgeois. Il y a les besaces stylées (1 100 R) de Gosha Orekhov chez Good Local, les bandes-dessinées russes de 28oi, les meilleurs stylistes russes chez Banya Concept et Russian Room (t. l. j 10h-22h) et aussi des expositions, des concerts et du cinéma…

Art-T-Shok

Grajdanskaïa oulitsa 7 (G8)
M° Sadovaïa

571 9049
ww.art-t-shok.ru
l. j. 11h-20h.

ans la hotte de bons plans
1e réserve Saint-Pétersbourg,
y a cet atelier, à un saut
e puce de la perspective
evski, où vous pourrez créer
tee-shirt (650 R) de vos
ves. L'originalité ici, c'est
passionnant catalogue
illustrations qui prouve
1e la longue tradition
es dessinateurs russes est
en vivante. On adore les
atriochkas déglinguées de
aria Klimenko et les dessins
1 tantinet acerbe d'Ogo-go !

aïga

vortsovaïa naberejnaïa 20
46)
° Nevski Prospekt
ww.space-taiga.org
l. j. horaires en fonction
es boutiques, en général
3h-20h.

vous voulez rencontrer la
unesse créative et géniale
 Saint-Pétersbourg, poussez
 porte de cet ancien palais
1 XVIIIe s. Le collectif
aïga y a créé un espace
byrinthique et en chantier

permanent qui relève autant
du centre culturel que de
la galerie commerciale :
librairie, studios de design,
boutiques de mode, atelier
de réparation de vélo, studio
de répétition, hôtel… Ne
manquez pas, au 2e étage, le
superbe salon de mode Store-8
ouvert sur la Néva et, au 1er,
la géniale papeterie-librairie
Books&More.

SMBL

Doumskaïa oulitsa 5/22 (H7)
M° Nevski Prospekt
☎ 253 93 03
www.smbl-store.com
T. l. j. 13h-22h.

Passez sous le porche à côté
du n°5, la petite boutique
SMBL est tout de suite à droite
dans la cour. Derrière la porte,
vous avez toutes les chances
de trouver Zara Malikova à sa
table de travail, cachée derrière
les portants, en train de noircir
le papier de modèles de robes
à venir. Car l'ancienne prof
d'anglais reconvertie en styliste
ne dessine que des robes : des
robes légères, virevoltantes et
fleuries, des robes marinières
détonantes et de sévères robes
de nonnes !

Be Free

TK Sennaïa (voir p. 121)
Sennaïa Plochtchad
Efimova oulitsa 3 (H8)
M° Sennaïa Plochtchad
☎ 740 4660
T. l. j. 10h-21h.

La publicité de cette marque
russe met en scène une jeune
femme gracile et souriante
donnant une correction
au célèbre boxeur Fedor
Emelianenko… un vrai
programme de libération de
la femme ! Les *dievouchki*
(« jeunes filles ») libérées ne
s'y trompent pas et viennent
chercher ici pulls fins (900 R),
ballerines (800 R), tops
imprimés (1 300 R), sacs
(2 000 R) et même de très
sérieux tailleurs… Une mode
décontractée, sobre et plutôt
démocratique.

COSMÉTIQUES EN VO

Rapporter des produits de beauté russes quand on vient
du pays le plus renommé au monde pour ses parfums
et ses maquillages ? Pourquoi pas ! Le savoir-faire russe
en la matière est réel et les produits, de grande qualité,
à des prix imbattables. Rendez-vous donc à l'institut
Rousskaïa Linia/Faberlic pour découvrir des produits
100 % russes. Consultez le catalogue (en anglais), craquez
pour toutes les crèmes et soins imaginables, faites-vous
manucurer ou masser… Que votre peau soit *soukhoïe*
(« sèche »), *normalnoïe* (« normale ») ou *jirnoïe* (« grasse »),
que vous cherchiez quelque chose *dlia litsa* (« pour le
visage ») ou *dlia tela* (« pour le corps »), vous trouverez
votre bonheur !

Rousskaïa Linia/Faberlic
Malaïa Posadskaïa oulitsa 4 (D2)
☎ 233 6441 – M° Gorkovskaïa
• Faberlic : www.faberlic.ru ; lun.-ven. 11h-20h
• Rousskaïa Linia : mar.-sam. 12h-20h.
Demandez Marina Androuchin ou Svietlana Ostapenko,
qui parlent l'anglais.

Précieux
et fragile

Ambre de la Baltique, pierres dures de l'Oural... les bijoutiers russes ont de belles matières premières à travailler. Les modèles ne sont pas toujours d'une originalité folle mais les prix sont abordables. Ils le sont moins en ce qui concerne les objets inspirés de l'art de Fabergé, mais le travail n'a rien à voir... Pas forcément faciles à rapporter mais tellement typiques, les services à thé Lomonossov sont aussi de vraies œuvres d'art.

BIJOUX

Iakhont

olchaïa Morskaïa oulitsa 24 (G7)
M° Nevski Prospekt
☎ 314 4235
T. l. j. 10h-20h
Bureau de change.

Dans l'ancienne boutique-atelier de la grande maison Fabergé (voir p. 32-33), la tradition se perpétue à travers des œufs-pendentifs (de 1 200 à 35 000 R selon les matériaux). Cette bijouterie propose principalement des pièces classiques sans grande originalité mais bien faites : or et argent ornés de pierres dures, ambre, pierres semi-précieuses, ainsi que

des petits objets en argent et métal argenté.

Etalon Jenavi

Doumskaïa oulitsa 4a
TK Perinie riadi, 2ᵉ étage (H7)
M° Nevski Prospekt
☎ 810 7407
www.etalon-jenavi.com
T. l. j. 11h-20h.

Une minuscule boutique remplie de bijoux fantaisie, pour la plupart de fabrication russe et garantis anti-allergiques. En argent ou en plaqué or, garnis de pierres dures ou synthétiques ils sont vendus à des prix abordables (300 à 1 600 R pour une paire de boucles d'oreilles, 400 à 2 500 R pour un collier). La vendeuse est, une fois n'est pas coutume, particulièrement aimable et de bon conseil. Cartes de paiement refusées.

eluga Deluxe

ochtchad Iskousstv 5 (H7)
Nevski Prospekt
Gostiny Dvor
325 8264
l. j. 9h-20h.

grand choix de bijoux
ditionnels, souvenirs,
jets précieux, ambre,
bleaux… Les prix y sont
evés mais, en cherchant
en, on peut trouver de très
lles pièces à des
rifs abordables.

ou Vladimirskaïa
☎ 713 1513
T. l. j. 10h-21h.

Fondée en 1744,
la manufacture impériale
de porcelaine Lomonossov
jouit à juste titre d'une
réputation prestigieuse. Son
modèle le plus connu est le
Filet Cobalt, délicat entrelacs
de courbes bleues ponctuées
de points dorés sur fond
blanc (7 740 R pour un
service à thé de vingt-deux
pièces), dont se sont équipées
toutes les bonnes maisons,
comme l'hôtel Astoria ;
mais il en existe beaucoup
d'autres, comme ceux à motifs
floraux de couleur vive qui

PORCELAINE ET CRISTAL

omonossovski Farfor

adimirski prospekt 7 (E4)
° Maïakovskaïa,
ostoïevskaïa

semblent sortis d'un tableau
de Koustodiev. Si vous avez le
temps, n'hésitez pas à vous
rendre directement sur le
lieu de production (prospekt
Oboukhovstoï Oboroni 151, HP
par M° Lomonossovskaïa, au
nord de la ligne 3, t. l. j. 10h-
20h). La manufacture abrite
un beau musée contenant des
œuvres très rares, comme un
splendide bouquet de fleurs
en porcelaine, et une boutique
où il est possible d'acquérir
des pièces variées.

Suok

Galerie Apriori
Bolchoï prospekt 58
Île Petrogradski (C2)
M° Petrogradskaïa
www.suok.spb.ru
T. l. j. 11h-21h.

Pas de doute, en matière
de poupées et de peluches,
les artistes russes ont du
talent à revendre. En Fimo,
porcelaine ou tissu, habillées
de perles et de soie brodées,
les plus belles ont demandé
pas moins de trois mois de
travail et s'emportent à prix
d'or (comptez 40 000 R).
Plus abordables et tout aussi
craquants, ne manquez
pas les ours, chats, souris
et lapins en peluche (de
2 000 à 5 000 R) de
Svetlana Bessinskaïa.

L'OR DE LA BALTIQUE

L'ambre, résine fossile qui s'est formée il y a plus de
cinquante millions d'années à la suite de l'écoulement
de la sève des arbres, abonde dans la Baltique. Sa couleur
varie du jaune très clair à l'acajou et son apparence
est rarement uniforme car des fragments
de végétaux ou d'insectes y ont
parfois été piégés. Il est impossible
de donner un ordre de
grandeur de prix mais vous
pourrez vérifier que l'on
ne vous a pas vendu du
plastique ; appliquez sur
votre bijou une aiguille
préalablement chauffée à une
flamme : si c'est de l'ambre, il
ne sera pas marqué…

Gastronomie
et plaisirs de bouche

En Russie, vous voudrez sans doute manger du caviar et vous aurez raison, car ici, c'est une petite « folie » abordable. Évidemment, vous l'accompagnerez de vodka… Mais savez-vous que les *Gastronom* (Гастроном), magasins d'alimentation, vous réservent d'autres surprises ? Vins, cognacs, eaux-de-vie, bonbons et chocolats, gâteaux et biscuits, épices des anciennes républiques du Sud… À vos paniers !

Le Marché Kouznietchny

Кузнечный рынок
Kouznetchni pereoulok 3 (E4)
M° Vladimirskaïa
ou Dostoïevskaïa
☎ 312 4161
Lun.-sam. 10h-20h,
dim. 10h-19h.

Ce grand marché couvert (1927) est un véritable modèle du genre. À l'époque soviétique, les kolkhoziens venaient y vendre les surplus de leur lopin de terre. On y trouve toutes sortes d'aliments d'une fraîcheur irréprochable. En saison, les montagnes de raisin et d'aubergines de Géorgie jouxtent les pyramides d'énormes cerises et d'abricots d'Ouzbékistan. Vendeurs de miel et de thé se sont aussi donné rendez-vous ici.

Ptchelovodstva

Пчеловодство
Liteïni prospekt 46 (E3)
M° Maïakovskaïa
☎ 273 7262
T. l. j. 9h-21h.
Dans cette boutique dédiée au miel, vous pourrez

ûter aux différentes
riétés avant de faire votre
oix. Toutes proviennent
régions « exotiques » :
taï, Tadjikistan, Arménie…
aranti sans traitement,
nectar des abeilles est
ndu au poids à prix très
ux (autour de 120 R le kg).
us trouverez aussi des
mèdes et des cosmétiques bio.

untsia

нция
evski prospekt 63 (E4)
° Maïakovskaïa
314 6268
l. j. 10h-22h.
lus de deux cents sortes
thés provenant des
uatre coins du monde
nt rassemblées dans cette
outique à l'ancienne où
unité de mesure est l'once
28,35 g) comme l'indique
n nom. Également de belles
sses, des boîtes, etc.

ytni rynok

ытный рынок
ytninskaïa plochtchad 3/5
D2)
M° Gorkovskaïa
233 0826
. l. j. 8h-19h.
pécialisé dans les produits
u Caucase et d'Asie centrale,
marché mérite surtout une
isite à la belle saison, lorsque
es étals débordent de fruits
ûrs et de légumes gorgés de
oleil. Beaucoup de fruits secs,
'épices : dépaysement garanti.

Land

(Au sous-sol de la galerie
commerciale Vladimirski
Passage)
Лэнд (ТК Владимирский
Пассаж)
Vladimirski prospekt 19 (E4)
M° Dostoïevskaïa
ou Vladimirskaïa
☎ 331 3233 (poste 1308)
T. l. j. 24h/24.
Ce supermarché ravira les
timides et les indécis, qui
pourront toucher à tout et
changer d'avis sans s'attirer
les foudres d'une vendeuse !
Le choix est impressionnant,
surtout au rayon des
saucissons, qui semblent se
décliner à l'infini et qui sont
excellents. Vous trouverez ici
essentiellement des produits
occidentaux, mais également
beaucoup de produits russes,
cependant un peu plus chers
que dans d'autres magasins
d'alimentation plus excentrés.

Magazin fabriki Krupskoï

Магазин фабрики Крупской
Oulitsa Vosstanïa 15 (E4)
M° Plochtchad Vosstanïa
☎ 579 4484
Lun.-sam. 10h-20h,
dim. 12h-18h.
Une bonne adresse pour les
gourmands… Toutes les

productions de la maison
Krupskoï sont réunies ici :
caramels, bonbons en tout
genre, biscuits, chocolats…
En vrac ou dans de jolies boîtes.

Magazin napitkov

Магазин напитков
RDC de la Nevskaïa Linia
du Bolchoï Gostiny Dvor
(voir p. 121 ; I7).

Voici un petit magasin
spécialisé dans les boissons
alcoolisées comme vous en
croiserez beaucoup. Grand
choix de vodkas que vous
pourrez offrir ou ramener en
souvenir dans un bel étui en
bois fait sur mesure et décoré
façon « matriochka » (en
vente un peu plus loin dans
le Gostiny Dvor).

PETIT GUIDE D'ACHAT DU CAVIAR ET DE L'ALCOOL

Recommandation préliminaire :
oubliez le caviar si vous n'avez
pas de réfrigérateur dans
votre chambre. Les œufs
d'esturgeon sont en effet
toujours vendus sous forme
de semi-conserve et doivent
impérativement être conservés
au frais. Vous reconnaîtrez les
variétés à la couleur de la boîte : bleue pour le bélouga
à 6 000 R les 56 g (attention : interdit à l'exportation,
voir p. 105), rouge pour le sévruga (2 900 R), jaune
pour l'osciètre (2 500 R). En juin 2006, une nouvelle loi
pétersbourgeoise interdit aux magasins la vente d'alcool
entre 23h et 7h du matin. N'espérez pas convaincre le
commerçant de vous vendre une bouteille à 23h15,
vous n'aurez pratiquement aucune chance…

Antiquités
et brocantes

Vous remarquerez rapidement, au fil de vos pérégrinations, que les antiquaires sont légion à Saint-Pétersbourg, et ce depuis la disparition de l'URSS. Meubles et tableaux anciens, porcelaines et bijoux précieux sont sortis de leurs cachettes et sont aujourd'hui à vendre… à des prix généralement totalement prohibitifs. Un problème auquel s'ajoute celui du passage à la douane. Reste donc toujours le plaisir des yeux et, parfois, la possibilité de craquer pour une babiole…

Salon Peterbourg

Салон Петербург
Nevski prospekt 54 (I7)
M° Gostiny Dvor
☎ 571 4020
T. l. j. 11h-21h.

Vous ne trouverez ici que des petits objets pas forcément très anciens mais bien choisis et mis en valeur : bijoux, montres, monnaies, médailles, tableaux, icônes, sujets en porcelaine, jumelles de théâtre, œufs style Fabergé, boîtes… Les prix restent assez élevés.

Rousskie Traditsi

Русские традиции
Naberejnaïa reki
Fontanki 88 (H8)
M° Teknologuitcheski
Institout ou Sadovaïa

☎ 575 8888
T. l. j. 10h-20h
Cartes de paiement refusées.

Là encore, vous découvrirez une bonne sélection de pièces du XIXe s. Large choix d'objets rares : assiettes murales, cuillères, montres, objets

en porcelaine et en bronze, bougeoirs anciens, icônes, nombreux tableaux et dessins de maîtres. L'endroit n'est pas très bon marché mais mérite le détour.

Sov Art

Сов Арт
Ryleeva oulitsa 5 (E3)
M° Tchernychevskaïa
☎ 273 08 05
www.sov-art.net.ru
C'est au pied de la cathédrale de la Transfiguration que cet antiquaire expose ses collections de porcelaine fabriquée à l'époque soviétique mais très loin du style propagandiste habituel. Sa spécialité ? Des petites figurines

n porcelaine inspirées
u folklore russe ou de la
adition militaire (à partir
e 3 000 R), de la vaisselle
n faïence et en porcelaine,
briquée dans la célèbre
sine Lomonossov de Saint-
étersbourg (voir p. 113) mais
ussi des vases, des verres, des
oîtes laquées de Palekh (env.
5 000 R)… Vous pouvez
cheter les yeux fermés, tout
ci est dûment certifié.

okrovichtcha
Peterburga

окровища Петербурга
Iadimirski prospekt 4 (E4)
M° Vladimirskaïa
u Dostoïevskaïa
☎ 764 5018
. l. j. 11h-19h.

nfin une boutique qui ne
onfle pas les prix ! Ici, vous
écouvrirez avant tout un
ès large choix de costumes
nciens. N'hésitez pas à
emander conseil au vendeur :
eaucoup de pièces ne sont pas
xposées. On y trouve aussi des
ableaux, de la porcelaine et
u petit mobilier.

Antiqvariat
Panteleïmonovski

Антиквариат
Пантелеймоновский
Oulitsa Pestelia 13/15 (I6)
M° Tchernychevskaïa
☎ 579 7235
Lun.-sam. 11h-19h,
dim. 11h-18h.

Cette boutique mérite une
visite autant pour sa situation
à l'entrée d'une superbe
impasse que pour ses trois
salles remplies de beaux
objets anciens : petit mobilier,
tableaux, icônes, bijoux,
argenterie, porcelaine…

Tertia

Терция
Italianskaïa oulitsa 5 (H7)
M° Gostiny Dvor
☎ 710 5568
T. l. j. 11h-20h.
Un air de brocante et
des pièces relativement
abordables : affiches, cartes
postales anciennes (comptez
3 000 R pour le portrait du
tsarévitch Alexis, héritier de
Nicolas II, assassiné avec toute
sa famille à Iekaterinbourg en
juillet 1918), tableaux, services
à thé, samovars, bijoux,
miroirs et autres coffrets
– objets datant pour la plupart
de la seconde moitié du XIXe s.

Abim

Абим
Naberejnaïa reki Fontanki 5
(I7)
M° Gostiny Dvor
☎ 314 0080
Mar.-sam. 11h-18h
Cartes de paiement refusées.

Cet antiquaire a réuni une
très belle sélection de « grosses
pièces » : meubles, bronzes,
pendules, tapis de table et
muraux, tableaux… Un
petit plus : la provenance et
la date de la plupart des
objets sont indiquées.

UNE LÉGISLATION
IMPLACABLE

En Russie, les antiquités
sont soumises à des
règles d'exportation
très strictes : impossible
de sortir un objet
antérieur à 1945 sans une
autorisation, qui vous
sera certainement
refusée s'il s'agit d'icônes
ou de tableaux. Certaines
boutiques se chargent
des formalités ; d'autres
vous adressent au
bureau du ministère de la
Culture – Malaïa Morskaïa
oulitsa 17 (G7), entrée
dans la cour ; comptez
5 jours ouvrables et
l'équivalent de 60 € pour
un tableau d'une valeur
de 400 € – ou à la douane
de l'aéroport. Attention : si
vous êtes pris en flagrant
délit de fraude, vous
n'aurez aucun recours !

Des souvenirs
pour tous les goûts

Poupées gigognes et plateaux fleuris, boîtes laquées et châles colorés : vous aurez sans doute rapidement l'impression de voir toujours un peu la même chose dans les boutiques de souvenirs. N'oubliez pas qu'à côté de ces « incontournables », il existe une foule d'autres choses typiquement russes à rapporter. Vous trouverez obligatoirement votre bonheur, mais pas toujours à l'endroit et sous la forme que vous auriez imaginée. Suggestions.

Mariinski Art Shop

Teatralnaïa plochtchad 18 (C4)
M° Sadovaïa
☎ 326 4196
Les jours de spectacle : 11h-18h.

Situé dans un bâtiment de l'administration du théâtre, ce petit magasin propose une sélection d'objets liés au monde de la musique et de la danse : affiches de spectacles, programmes, livres, cartes postales, enregistrements audio et vidéo, poupées revêtues de costumes fameux (la reine de la Nuit de *La Flûte enchantée,* Carmen, la reine des Cygnes…),

tasses et boîtes laquées décorées selon les mêmes thèmes. De quoi vous remémorer vos spectacles préférés !

Rousskie Souveniry

Русские сувениры
RDC de la Nevskaïa Linia du Bolchoï Gostiny Dvor
(voir p. 121 ; I7)
M° Gostiny Dvor
☎ 710 5408
T. l. j. 10h-22h.

Contre toute attente, le Gostiny Dvor est très certainement l'endroit de la ville où le prix des souvenirs pour touristes est le plus bas. Les pièces ne sont en général pas très originales, mais si vous recherchez une boîte russe typique ou une matriochka à bas prix, c'est l'endroit qu'il vous faut.

Red October Art Shop

Konnogvardeïski boulvar 6 (C4)
M° Sennaïa Plochtchad
☎ 312 0281
www.redoctobershop.com
Mai-sept. : t. l. j. 9h-20h ;
oct.-avr. : t. l. j. 10h-19h.

Malgré les nombreux touristes déversés par autocars entiers dans cette grande boutique au pied de la Nouvelle-Hollande, c'est une adresse idéale pour se faire expliquer dans un anglais

arfait toutes les subtilités de
artisanat d'art traditionnel.
atriochka classiques (de 1 000
2 500 R), boîtes laquées de
alekh (de 20 000 à 35 000 R)
1 de Fedostino, œufs à la
anière de Fabergé, bijoux
1 ambre et en malachite…
y en a pour tous les goûts.

e marché
ux souvenirs

ынок сувениров
oniouchennaïa plochtchad
6)
⁴° Nevski Prospekt
l. j. 8h-21h.

es vendeurs de souvenirs
vaient depuis longtemps
vesti ce « carrefour
ouristique ». Ils sont
ujourd'hui organisés en un
éritable marché où vous
ouverez rassemblé tout ce
u'il est possible de rapporter
e Saint-Pétersbourg :
hâles, appareils photo,
oupées, boîtes en laque,
eux d'échecs… Les prix sont
ouvent annoncés en devises,
onc élevés : il faut négocier.

Generator Nastroenia

енератор Настроения
aravannaïa oulitsa 7 (I7)
1° Gostiny Dvor
☎ 314 5351
www.generator-
nastroenia.ru
. l. j. 11h-22h.

as des matriochkas et autres
ouvenirs traditionnels ?
oussez la porte de ce
générateur d'humeur »
· bonne à coup sûr – où un
bureau de construction »,
ue n'aurait pas renié
oulgakov, s'ingénie à
edonner vie à de vieux
bjets de l'époque soviétique.
. l'affiche : un four des
nnées 1950 converti en bar,
es boîtes de caviar devenues
adran d'horloge (800 R),
es samovars transformés

en lampes et autres géniales
loufoqueries.

Boutique du
Musée Erarta

Музей и галереи
современного искусства
29-ïa linia 2 (Vassilievski
Ostrov) (B4)
M° Vasileostrovskaïa
puis bus n°6 ou
M° Admiralteiskaïa puis bus
n°7, arrêt Dietskaïa oulitsa
www.erarta.com
Mer.-lun. 10h-22h.

Les bonnes idées cadeaux
sont aussi à glaner dans la
boutique du musée Erarta.
Vous y trouverez les classiques
agendas (250 R), cahiers et
carnets illustrés des œuvres de
la collection, mais aussi une
belle sélection de bijoux et de
céramiques ou de vaisselle en
édition limitée, tous créés par
des artistes pétersbourgeois.
On adore les assiettes
« Pionniers » de Iouri Tatianin
(900 R), les vases effilés de
Vera Noskova (env. 4 500 R),
les chats malins en papier
mâché de Natalia Beltioukova
(de 2 400 à 7 500 R) et les sacs
en tissu imprimés des célèbres
éléphants de Kopeïkin (850 R).

Voïennij Kollektsioner

Военный коллекционер
Zagorodni prospekt 42 (D4)
M° Pouchkinskaïa
☎ 315 9351
T. l. j. 11h-19h.

Les passionnés d'histoire
militaire russe, mais aussi
internationale, trouveront
ici un refuge de choix. Ce
magasin de taille considérable
propose une multitude
d'objets anciens à la vente
et organise des expositions
dans le modélisme militaire.
Le choix est vertigineux : des
boutons à la vaisselle militaire
en passant par du matériel
audio-visuel et des fournitures
pour le modélisme, il y en a
pour tous les goûts et toutes
les bourses.

APPAREILS PHOTOS

Cette boutique du Gostiny
Dvor s'est spécialisée
depuis 15 ans dans la vente
d'appareils photo soviétiques
d'occasion. Des Zenith
évidemment mais aussi des
Lomo, des Smena et des
Lubitel en parfait état de
marche et très recherchés
pour leurs effets de tunnel, de
flou ou de grain que même
la photographie numérique
copie ! Vous pourrez aussi
y faire le plein de films
argentiques et accessoires.

Photostore
Tsentralni Komissioni Fotomagazin
1ᵉʳ étage de la Perinnaïa liniïa du Bolchoï Gostiny Dvor
(H7/I7)
☎ 571 2816 – www.b-w-foto.ru – T. l. j. 10h-22h.

Passages
et galeries marchandes

La fièvre de consommation qui touche Moscou n'a pas épargné Saint-Pétersbourg, même si elle y prend des allures plus modestes. Les centres commerciaux russes et occidentaux sont apparus partout, surtout aux abords de la ville. Saint-Pétersbourg a néanmoins su garder de superbes galeries marchandes réaménagées au goût du jour. Certaines sont de vraies curiosités, tant du point de vue de l'architecture que du contenu. Même si on n'y trouve souvent que des produits importés, la visite des murs reste passionnante.

Stockmann

Стокманн
Nevski prospekt 25 (H7)
M° Nevski Prospekt
☎ 313 7840
T. l. j. 10h-22h.

Rien de russe dans ce grand magasin… finlandais, si ce n'est le superbe palais dans lequel il est installé. Vous y trouverez une bonne sélection de produits haut de gamme et, sous une très belle verrière, un salon de thé. Les prix sont comparables

à ceux pratiqués en France et l'endroit est fort agréable.

Passage

Пассаж
Nevski prospekt 48 (I7)
M° Gostiny Dvor
☎ 312 2210
Lun.-sam. 10h-21h,
dim. 11h-21h.

Les élégants font leurs emplettes dans cette galerie marchande depuis 1848. Avec sa verrière et son sol en mosaïque, elle n'est pas sans rappeler les passages parisiens. Parmi les magasins qui se succèdent sur deux niveaux, beaucoup d'articles importés, mais pas seulement : les créations des stylistes russes sont à l'honneur à la boutique Marmalade et au Kulturra Showroom (voir p. 106 et 109).

Vladimirski Passage

ТК Владимирский Пассаж
Vladimirski prospekt 19 (E4)
M° Dostoïevskaïa

u Vladimirskaïa
☎ 331 3232
l. j. 11h-22h.

proximité de l'hôtel
ostoïevski (voir p. 93), le
ladimirski Passage propose
n vaste choix de boutiques
e vêtements à des prix assez
levés. Il héberge également
n magasin d'animaux,
ne boutique de costumes
our chiens ou la très bonne
âtisserie-boulangerie Baltiski
hleb (voir p. 103) au 1er et
u 4e étages. Supermarché très
omplet au sous-sol
Land, voir p. 115).

Bolchoï Gostiny Dvor

Большой Гостиный Двор
Nevski prospekt 35 (I7)

À SUIVRE

Rien de tel que des hivers
longs, froids et venteux
pour voir fleurir les centres
commerciaux. En la matière,
Saint-Pétersbourg fait
preuve d'un engouement
sans limite. Deux nouveaux
exemples viennent
d'ouvrir. Le DLT, branche
pétersbourgeoise du
célèbre Tsum de Moscou, rouvre ses portes tout juste
un siècle après son inauguration. Même chose pour
Au Pont Rouge, symbole de l'Art nouveau bâti en 1907
sur le modèle de l'immeuble Singer. Au programme :
restaurants, cafés et boutiques prestigieuses.

• DLT
Bolchaïa Koniouchenaïa oulitsa 21/23 (H7)
M° Nevski Prospekt – www.tsum.ru
• Au Pont Rouge
У Красного Моста – Naberejnaïa reki Moïki 73 (H7)
M° Admiralteiskaïa – ☎ 332 6101
www.ukrasnogomosta.ru

M° Gostiny Dvor
☎ 710 5408
T. l. j. 10h-22h.

Cette galerie marchande est
la plus grande concentration
de boutiques de la ville ! Ne
vous laissez pas décourager
par son côté labyrinthique :
les boutiques sont réparties
sur quatre « lignes » et deux
niveaux, toutes ayant une
spécialité. Bijoux et souvenirs
sont au rez-de-chaussée de
la Nevskaïa linia (Невская
линия) – parallèle à
Nevski prospekt ; parfum
et vêtements au rez-de-
chaussée de la Sadovaïa
linia (Садовая линия) ;
vaisselle à Lomonossovkaïa
linia (Ломоносовская
линия) – parallèle à oulitsa
Lomonossova et instruments
de musique, disques etc. à
Perinnaïa linia (Перинная
линия) – parallèle à
Doumskaïa oulitsa…

TK Sennaïa

ТК Сенная
Sennaïa plochtchad
Oulitsa Efimova 3 (H8)

M° Sennaïa Plochtchad
ou Sadovaïa
☎ 740 4624
T. l. j. 10h-21h.

Les boutiques qui occupent
les quatre étages du centre
commercial le plus grand de la
ville proposent tout un choix
de vêtements et d'accessoires,
mais aussi plusieurs
restaurants, magasins
de jouets, de disques ou
d'accessoires pour la maison.
Il y a régulièrement des défilés
de mode, et le dernier étage est

occupé par un grand complexe
de loisirs avec cinéma, bowling
(24h/24) et jeux divers.

Moskovski Ounivermag

Московский Универмаг
Moskovski prospekt 220,
207 et 205 (HP)
M° Moskovskaïa
☎ 373 4455
Lun.-sam. 10h-21h,
dim. 11h-21h.

Cette enseigne se déploie
dans de grands bâtiments
qui bordent chaque côté de
l'immense avenue de Moscou.
Côté pair, vous trouverez la
mode pour hommes et femmes ;
côté impair, les articles pour
enfants, le sport, la maison et
un grand choix de souvenirs.
Comme partout, les produits
d'importation dominent.

Livres
et disques

Ce n'est pas parce que vous ne lisez pas le russe qu'il faut vous laisser intimider par les librairies. Vous y trouverez tout un choix d'ouvrages en langues étrangères et des livres d'art à des prix très abordables. Sur le plan musical, les fans de rock et de pop seront comblés par la diversité, les amateurs de classique, par la qualité… Mais où que vous soyez, achetez si quelque chose vous plaît : on ne sait jamais où en sont les stocks !

Boukvayet

Буквоед
Ligovski prospekt 12 (E3-4)
M° Plochtchad Vosstania
☎ 601 0601
T. l. j. 24h/24.
Avec Dom Knigui, très certainement le plus grand magasin de livres de la ville. Située à quelques pas de la gare de Moscou, cette librairie (la chaîne en comporte près d'une trentaine dans la ville) organise régulièrement des rencontres, des conférences et dispose d'un coin café où l'on peut consulter l'un des 90 000 livres du magasin.

Akademkniga

Академкнига
Liteïni prospekt 57 (E4)
M° Maïakovskaïa
☎ 273 1398
Lun.-sam. 10h-19h.
Une caverne d'Ali Baba pour les bibliophiles russophones… et les autres. Vous dénicherez sans peine des livres en langues étrangères, et notamment des livres d'art publiés par les éditions Aurora. Il faut fouiller !

Dom Knigi

Дом Книги
Nevski prospekt 28 (H7)
M° Nevski Prospekt
☎ 448 2355
T. l. j. 9h-minuit.

remière librairie créée
endant l'ère soviétique
1919), la Maison du livre
st très complète et toujours
rès animée. On y trouve un
rand choix de cartes postales,
e calendriers et de livres en
angues étrangères et surtout
n rayon très complet de
uides touristiques et de livres
istoriques en français sur
aint-Pétersbourg. Si seule
a reproduction des œuvres
ous intéresse, les livres

À RAPPORTER
DANS VOS BAGAGES

Achetez les yeux fermés
les enregistrements de
romances, ces mélodies
souvent nostalgiques ;
précipitez-vous sur
les œuvres lyriques
rarement jouées en
Occident, comme *Le Coq
d'or* de Rimski-Korsakov
ou *Rouslan et Lioudmila*
de Glinka ; découvrez les
chants révolutionnaires
et les compositeurs
soviétiques (G. Popov,
A. Mossolov,
N. Rosslavietz…) très
peu connus à l'étranger.
Dans le style folklorique
russe, le groupe Zalatoïe
Kaltso est le spécialiste
du genre.

russes de beaux-arts et de
photographies sont à des prix
très intéressants.

Klassica

Классика
Mikhaïlovskaïa oulitsa 2 (I7)
M° Gostiny Dvor
☎ 710 4428
T. l. j. 11h-19h30.
Installé dans l'enceinte de la
Philharmonie, ce minuscule
magasin offre une bonne
sélection de musique classique
sous toutes ses formes.
Ici aussi, c'est parmi
les labels russes que le choix
est le plus intéressant.

Art Book Shop

Belinskovo oulitsa 9 (I7)
M° Maïakovskaïa
☎ 9213670055 (mobile)
T. l. j. 13h-22h.
Un Français et une Russe
sont à la tête de cette petite
librairie ouverte en 2011 sur
les bords de la Fontanka.
Leur spécialité ? Des livres
d'histoire de l'art, de photo,
d'architecture et de design
en français et en anglais. De
grands éditeurs européens sont
représentés mais aussi les éditeurs
russes de bandes dessinées et de
romans graphiques. Une bonne
adresse pour dégoter des livres
pointus sur l'architecture ou
l'histoire de la ville.

Otkriti Mir

Открытый Мир
Nevski prospekt 32 (à
gauche de l'église Sainte-
Catherine d'Alexandrie ; H7)
M° Nevski Prospekt
☎ 315 8222
www.cd-classic.ru
T. l. j. 10h-22h.

Ce disquaire génial couvre
toute la musique classique,
du Moyen Âge au début de
l'avant-garde moderne.
Vous y trouverez les œuvres
symphoniques et lyriques les
plus célèbres mais aussi des
œuvres presque inconnues
du grand public. La musique
russe et les compositeurs
pétersbourgeois sont très
bien représentés dans des
enregistrements de qualité
signés par les labels russes
Melodiya ou Olympia.

Du côté
des galeries d'art

L'exportation de pièces anciennes comme contemporaines peut vous poser problème à la douane (voir p. 105 et 117). Avant d'acheter un tableau ou une œuvre d'art, réfléchissez à la façon dont vous allez l'exporter. Du véritable marchand d'art au peintre qui expose dans la rue, il y en a pour tous les goûts et toutes les bourses. De quoi renouveler la décoration de votre intérieur !

S.P.A.S.

С.П.А.С.
Naberejnaïa reki Moïki 93 (G8)
M°Admiralteiskaïa
☎ 571 4260
www.spasgal.ru
Lun.-ven. 12h-19h,
sam. 12h-18h.

Cette galerie ouverte en 1990 est la référence incontournable de l'art contemporain à Saint-Pétersbourg. Elle organise chaque mois une exposition vente autour d'un artiste où les collectionneurs se pressent. Tous les genres et tous les styles s'y mêlent, de l'abstraction au figuratif, du paysage urbain à la nature morte. C'est évidemment un peu cher mais les artistes de la galerie sont déjà représentés dans les collections des grands musées.

Art Tsentr
« Pouchkinskaya 10 »

Арт Центр « Пушкинская-10 »
Pouchkinskaïa oulitsa 10
(entrée par la cour sur Ligovski prospekt 53 ; E4)
M° Maïakovskaïa ou

Plochtchad Vosstania
☎ 764 5371
Mer.-dim. 16h-20h.

L'histoire de cet endroit devenu mythique a commencé en 1989 lorsque les artistes indépendants (à cette époque le mot « indépendant » avait une connotation forte de sens) se sont rassemblés dans cette maison laissée à l'abandon pour créer un centre d'art contemporain libre. Grâce aux subventions de la ville, l'endroit a été réhabilité, et c'est aujourd'hui le passage obligé de tous les peintres, musiciens et artistes de Saint-Pétersbourg. Chaque année, le dernier samedi du mois de juin, on fête l'anniversaire du Centre avec un grand festival

vitant des artistes du monde
tier. À voir, son célèbre café-
ub, le Fish Fabrique (p. 130).

alerie Anna Nova

лерея Анна Нова
ukovskovo oulitsa 28 (E4)
° Plochtchad Vosstania
☎ 275 9762
ww.annanova-gallery.ru
Aar.-sam. 12h-19h.

hanteuse célèbre, prospère
. passionnée d'art
ontemporain, Anna Nova
éfend ici une vingtaine
artistes russes, peintres,
ulpteurs et photographes.
a galerie organise des
xpositions thématiques, des
oncerts et des projections
déo. Parmi nos coups de
œur, les paysages abstraits
'Alexandre Dachevski, les
ortraits d'Elena Figurina et
es sculptures kitsch de Natalia
raevskaïa (œuvres de 500
plusieurs milliers d'euros).

alerie Steklo
Rossbouzdiseign

алери Стекло Росбуздизайн
Oulitsa Lomonossova 1/28
8)
1° Gostiny Dvor
☎ 312 2214
'. l. j. 11h-21h.

nstallée dans un très bel
space aux murs de briques
pparentes, cette galerie s'est
pécialisée dans le travail
lu verre. Elle organise aussi
égulièrement des expo-
entes de jeunes artistes.
Vous trouverez là des pièces
riginales à des prix qui
emeurent abordables : vases,
coupes, figurines, œufs et
erres gravés (à partir de
00 R), pour certains copies
le pièces de musées.

Didi Art Gallery

Циди
Bolchoï prospekt 62

Île Vasilievski (B4)
M° Vasileostrovskaïa
☎ 320 7357
Lun. 12h-20h,
sam. 12h-19h.

Des chaises accrochées au
plafond, un livre dont les
pages sont des miroirs, une
valise posée au milieu de la
salle où sont exposées les
œuvres, l'originalité de ce
lieu n'est pas à prouver. Les
œuvres d'art contemporain
sont toujours de qualité
et se renouvellent très
régulièrement. Vernissages,
master-classes, festivals font
de ce lieu un endroit très
animé. La galerie se charge
des papiers pour l'exportation,
ce qui est très pratique…

Soiouz khoudojnikov
Rossii « Blue Hall »

Союз художников
« Blue Hall »
Bolchaïa Morskaïa 38 (G7)
M° Nevski Prospekt
☎ 315 7414
Lun.-ven. 12h-19h,
sam.-dim. 12h-18h.

Le très beau bâtiment de
l'Union des artistes de
Russie abrite plusieurs
salles d'exposition où vous
pourrez apprécier le travail

d'artistes ayant déjà une
certaine notoriété au niveau
national : peintres, sculpteurs
mais aussi céramistes. Les
pièces exposées changent
régulièrement.

Pushkin Art Gallery

(Galerie d'art Pouchkine)
Yakoubovitcha oulitsa 5 (C4)
M° Nevski Prospekt
☎ 325 9708
www.pushkin-art.com
T. l. j. 9h-19h.

Cette galerie discrète, à
l'ombre de l'Amirauté,
présente à l'étage une
excellente sélection de
peintres russes prenant Saint-
Pétersbourg, ses canaux, ses
monuments et son atmosphère
insolite pour objet d'étude.
Irina Aleksandrina fait
revivre le Saint-Pétersbourg
du XIXe s. dans le style
impressionniste, Sergey
Bakin peint de vaporeuses
danseuses de ballets russes,
Alexander Ischenko des
natures mortes et des paysages
naïfs et Alexander Volkov
des scènes inquiétantes et
tourmentées digne d'un
roman de Dostoïevski.
De 200 à… 6 000 €.

LE TABLEAU DONT VOUS ÊTES LE HÉROS

Un concept original :
choisissez le style qui
vous plaît – repérez au
préalable un peintre
au Musée russe –,
le support (toile,
céramique, émail…), et
vous n'avez plus qu'à
servir de modèle… vous
ou, pourquoi pas, votre
animal de compagnie,
dont vous avez peut-
être une photo dans
vos bagages !

Russian Portrait
Ryleïeva oulitsa 16 (E3) – M° Tchernychevskaïa
☎ 272 5931 – Mai.-sept. : t. l. j. 10h-20h,
oct.-avr. : 11h-20h.

Sortir **mode d'emploi**

Pour beaucoup, la vie culturelle russe est souvent synonyme de musique et de danse classiques, un sentiment que votre séjour à Saint-Pétersbourg contribuera à conforter. L'offre en la matière est pléthorique et, si vous le voulez, vous pourrez assister à un nouveau spectacle presque chaque jour… Mais que les amateurs de rythmes plus « remuants » se rassurent : ils trouveront aussi des clubs de jazz, des petits cabarets et des boîtes à l'atmosphère survoltée !

Où sortir ?

Tout se passe une fois de plus sur la perspective Nevski et dans ses environs. Il existe évidemment des salles de spectacles et des boîtes plus éloignées du centre, mais vous aurez déjà fort à faire avec celles mentionnées ici, et vous aurez moins de problèmes pour rentrer à votre hôtel au milieu de la nuit si vous restez dans le centre…

À Saint-Pétersbourg, la vie nocturne s'articule autour de plusieurs pôles thématiques aussi éloignés que possible les uns des autres : ballets, opéras, concerts de musique classique ou religieuse, tout ce qui fait la réputation justifiée des « écoles russes » à travers le monde ; paillettes, filles en tenue légère et cabarets érotiques ; enfin, bars et clubs où écouter une musique *live* variée, dans une ambiance décontractée.

À noter : nous vous indiquons en alphabet russe les noms des établissements dont l'enseigne est en cyrillique.

Le look

Tout dépend évidemment de la sortie envisagée. Sans revêtir un smoking ou une robe longue, sachez qu'il serait mal vu de vous présenter en jean à l'opéra. Même lorsqu'ils ont des moyens limités, les Russes font toujours un effort vestimentaire pour

SE REPÉRER

Nous avons indiqué pour chaque adresse Sortir sa localisation sur le plan général (B2, G8…). Pour un repérage plus facile en préparant votre week-end ou lors de vos balades, nous avons signalé sur le plan par un symbole violet toutes les adresses de ce chapitre. Le numéro en violet signale la page où elles sont décrites.

DES SALLES DE SPECTACLE INATTENDUES

Ne manquez pas de vous renseigner en visitant le musée Chaliapine (p. 65), le palais Ioussoupov (p. 58), la cathédrale de Smolny (« Zoom sur » p. 85) ou encore le palais Menchikov (p. 68 et « Zoom sur » p. 88) : des concerts et des récitals de qualité y sont souvent organisés, sans être forcément mentionnés dans la presse.

ces occasions, et il serait bienvenu d'en faire autant. Et les rigueurs de l'hiver n'y changent rien : lorsque les rues sont enneigées, il est d'usage d'emporter ses chaussures de ville dans un sac en plastique et de les troquer contre ses bottes au vestiaire. Pas question de voir *Le Lac des cygnes* des après-ski aux pieds !

Programmes

Pour les étrangers, les périodiques distribués gratuitement dans la plupart des hôtels et un certain nombre de restaurants constituent la meilleure source d'informations : *Saint-Petersburg Times* (bihebdomadaire), *Pulse* (mensuel) ou *Where* (mensuel), *The Official City Guide* (mensuel) ou *Saint-Petersburg in your Pocket* (mensuel) sont une mine de renseignements pour les sorties et le shopping. Dans tous les hôtels, il existe des bureaux de tourisme auprès desquels vous pouvez aussi vous informer et réserver. Mais n'oubliez pas que l'été est une saison morte et qu'il y a très peu de spectacles entre juillet et mi-septembre car les troupes habituelles partent en tournée ou en vacances ; elles sont parfois remplacées par des compagnies venues du fin fond du pays, qui ne sont pas forcément du même niveau…

Billets

Si vous avez décidé de vous débrouiller tout seul (et donc de payer moins cher vos places), vous pouvez vous rendre directement à la salle de spectacle ou à l'une des nombreuses *teatralnaïa kassa* (Театральная Касса) qui centralisent la vente des tickets. Mieux vaut avoir une idée de ce que vous voulez car il y a peu de chances que votre interlocuteur parle une langue étrangère. L'une des plus centrales : Nevski prospekt 42 (I7), M° Gostiny Dvor, lun.-sam. 9h-20h, dim. 10h-19h. Attention : il faut payer en espèces.

Les prix

Comme dans les musées, vous paierez vos places en moyenne six fois plus cher que les Russes. Inutile de vous insurger ou d'essayer de ruser : il n'y a rien à faire, à moins que vous n'ayez le type slave et que vous parliez parfaitement la langue de Pouchkine… Si vous avez acheté des tickets dans la rue à un revendeur, rien n'est pour autant gagné : les ouvreuses sont très entraînées à repérer les étrangers, et, si elles vous démasquaient, vous seriez obligé de payer le supplément prévu dans votre cas. Cependant, vous n'êtes pas contraint de prendre les places les plus chères : au théâtre Maly, par exemple, si la salle n'est pas pleine, les 2e et 3e balcons restent fermés et les détenteurs de ces billets sont invités à se placer librement au parterre.

Sécurité

Pas de recommandations particulières autres que celles que suggère le bon sens. Conduisez-vous de la même manière que vous le feriez à Paris ou dans n'importe quelle grande ville : vous n'avez pas plus à craindre à Saint-Pétersbourg qu'ailleurs, sans compter qu'au moment des nuits blanches le soleil ne se couche quasiment pas, et que, la nuit, même les ruelles ne sont pas tout à fait sombres !

Bars et clubs

1 - Warszawa
2 - Seven Sky Bar
3 - Achtung Baby

BARS DE NUIT

Perspective Nevski

Warszawa

Kazanskaïa oulitsa 11 (H8)
M° Nevski Prospekt
Dim.-jeu. 10h-2h, ven.-sam.
11h-4h.
C'est LE nouveau bar du quartier et l'un des plus stylés du moment. Rien de tape-à-l'œil ici, mais au contraire une déco minimaliste qui donne au lieu une atmosphère relaxante et quasi monacale. Sur le buffet de grand-mère, des bocaux remplis de gâteaux et au comptoir, des bières tchèques à la pompe (Pilsner Urquell, 160 R/0,5 l) et de bons vins italiens, à accompagner de *zakouski* au Brie (130 R). L'endroit idéal pour un apéro de début de soirée.

Tribunal Bar

Трибунал Бар
Karavannaïa oulitsa 26 (I7)
M° Gostiny Dvor
☎ 314 2423
T. l. j. 21h-6h
Entrée payante le w.-e.
pour les hommes après 22h (300 R), pour les femmes après minuit (150 R), conso incluse.

Ce bar-restaurant est fréquenté par un public hétéroclite composé de Russes et d'étrangers. L'endroit n'est pas très bon marché, mais il est vrai que l'on y mange de bons steaks et que l'on y prépare de délicieux cocktails. Les soirées se déroulent au rythme des thématiques (disco le mercredi, salsa le jeudi, etc.) et du bar-karaoké (à partir de 23h).

Fidel

Дидел
Doumskaïa oulitsa 9 (H7-8)
M° Gostiny Dvor
☎ 809 6103
• Club. : dim.-jeu. 12h-1h,
ven.-sam. 12h-3h
• Restaurant : t. l. j. 12h-23h.

C'est petit, plein à craquer,
enfumé et bruyant et pourtant
chaque soir une faune jeune
et bohème s'y presse, avide de
musique, de bière fraîche (env.
80 R) et de rencontres amicales
à savourer sur des banquettes en
skaï élimé.

Seven Sky Bar

Italianskaïa oulitsa 15,
galerie commerciale Grand
Palace, dernier étage (I7)
M° Gostiny Dvor
☎ 449 9432
Dim.-jeu. 12h-1h,
ven.-sam. 12h-3h.

L'intérieur au décor très design
est agréable, le personnel sélect
et la cuisine fusion originale
et savoureuse. Le soir, les DJ
prennent place et électrisent
l'ambiance. Vous pouvez également venir le midi où l'endroit
est très calme et les prix corrects
pour ce genre de lieu (business-
lunch en semaine). Très bons
cocktails sans alcool.

Tchiort Poberi

Чёрт Побери
Lomonossova oulitsa 2 (H8)
M° Nevski Prospekt
T. l. j. 18h-6h.

Tchiort Poberi (« Zut » pour
être poli), c'est l'autre bonne
adresse des arcades. Ici, on
célèbre l'atmosphère festive
des soirées et concerts organisés dans les appartements
communautaires soviétiques.
Vieilles photos de classe, patins
à glace, machine à écrire, ven-
tilateur, c'est tout un bric à brac
qui s'empile ici comme autant
de fragments d'une époque révolue. Côté musique aussi c'est
nostalgique : des chansons des
années 1960, du rock'n roll, du
jazz, du swing…

Du côté de chez Pouchkine

Achtung Baby

Koniouchennaïa
plochtchad 2 (H6)
M° Nevski Prospekt
T. l. j. 17h-6h, DJ à partir
de 22h.

Dans les anciennes écuries qui
attendent de sérieuses rénova-
tions, plusieurs bars sont apparus les uns à côté des autres
ces dernières années, dans une
ambiance très underground
en total décalage avec l'architecture baroque de l'ensemble.
Les plus jeunes ont pour habi-
tude de les visiter l'un après
l'autre au cours de la nuit.
Parmi eux, Achtung Baby, avec
ses grandes voûtes aux briques
apparentes. Les 25-30 ans ont
trouvé leur lieu pour passer
une soirée entre amis. On a
l'impression d'avoir toujours

connu cet endroit et le baby-foot (gratuit) dans la première salle à l'entrée vous donnera l'occasion de faire très facilement connaissance !

Chaplin Club

чаплин клуб
Oulitsa Tchaïkovskovo 59 (E3)
M° Tchernychevskaïa
☎ 272 6649
T. l. j. 12h-1h
Cartes de paiement refusées.

Un café-concert doté d'une programmation variée (à partir de 20h) : clowns, chansonniers, chanteurs, fakirs, danseurs… Attention :

si certains spectacles sont accessibles à tous, qu'ils comprennent ou non le russe, d'autres nécessitent une maîtrise de la langue pour être appréciés. Le prix de l'entrée varie selon les représentations. Il y a également un restaurant sur place.

Soundouk

Сундук
Fourchtatskaïa oulitsa 42 (E3)
M° Tchernychevskaïa
☎ 272 3100
Lun.-ven. 10h-23h, sam.-dim. 11h-minuit
Carte de paiement acceptée : American Express.

Ce café, situé dans une rue paisible d'un quartier résidentiel, organise presque tous les soirs à partir de 20h30 des concerts de qualité donnés par de petites formations, généralement de jazz mais pas seulement ; vous pourrez y assister moyennant une somme tout à fait symbolique, en sirotant une boisson et même en grignotant un petit quelque chose. Le reste de la journée, l'endroit est aussi très agréable, et, à la belle saison, des tables sont installées sur le trottoir à l'abri d'un auvent.

Club Nevski 106

Клуб Невский 106
Nevski prospekt 106 (E4)
M° Plochtchad Vosstanïa
☎ 273-29-66
www.nevsky106.spb.ru
T. l. j. 24h/24
Concert : t. l. j. 19h30-22h30.

Outre ses hôtesses d'accueil très… accueillantes, ce restaurant-bar-club de la perspective Nevski est aussi une bonne adresse pour déguster des sushis tout en écoutant un trio de jazz local. On y vient en couple et entre copines pour débuter la soirée.

Fish Fabrique

Ligovski prospekt 53 (E4)
M° Vosstanïa plochtchad
☎ 764 4857
www.fishfabrique.ru
T. l. j. 15h-6h ; concerts : jeu.-sam. à 22h ; entrée 100 à 200 R.

Une foule diverse et intéressante se retrouve dans ce club underground, peut-être parce qu'il est situé dans l'Art Tsentr « Pouchkinskaya 10 », la plus grande communauté artistique de la ville. Créé au milieu des années 1990, c'était alors le seul endroit où voir des concerts de

1 - Fish Fabrique
2 - Seven Sky Bar (p. 129)
3 - Les nuits blanches

usique alternative et boire
ne bière (130-210 R). Le week-
nd, le club accueille toujours
es groupes de rock ou de pop
ssez expérimentaux. Atmos-
hère bouillonnante garantie.

Liverpool

Maïakovsko oulitsa 16 (E4)
M° Maïakovskaïa
☎ 579 2054
im.-jeu. 12h-1h,
en.-sam. 12h-3h
oncerts t. l. j.

n endroit chouette et décon-
racté où les Beatles sont
l'honneur… en particulier au
iveau de la décoration. Dans
es différentes salles, il y a des
illards, des tables pour boire
ne bière, manger un steak ou
ne salade copieuse.

CLUBS

Du côté
de chez Pouchkine

Koniouchenny Dvor

Конюшенный двор
Naberejnaïa Kanala
Griboïedova 5 (H7)
M° Nevski Prospekt

☎ 315 7607
T. l. j. 18h-6h
Entrée payant le w.-e. après
minuit : hommes 300 R,
femmes 200 R
Cartes de paiement
acceptées.

Ce club, très fréquenté les week-
ends, attire un public mélangé :
couples dînant en tête à tête
au restaurant (cuisine européenne), jeunes déchaînés sur
la piste de danse, amateurs des
deux sexes venus regarder le
show de danse érotique (t. l. j.
à partir de 23h)… L'un des
endroits les plus décontractés
dans son genre.

De la place Sennaïa
à la place Vosstania

Golden Dolls

Nevski prospekt 60 (I7)
M° Gostiny Dvor

☎ 571 3343
T. l. j. 21h-6h
Entrée payante (1 000 R) ;
cartes de paiement
acceptées.

La publicité le dit sans équi-
voque : ici, vous pourrez rencontrer des femmes à l'esprit
ouvert et les inviter à prendre
un verre… mais Golden
Dolls se veut tout de même
un « night-club érotique pour
public respectable » ! L'endroit
abrite aussi un restaurant de
cuisines russe et européenne
classé parmi les cent meilleurs
établissements de la ville. Vous
pourrez, si le cœur vous en
dit, y commander un menu
aphrodisiaque servi par une
jeune femme à la tenue assor-
tie et, enfin, puisque vous êtes
là, regarder le spectacle érotique : il a reçu le prix du meilleur show de ce type…

Spectacles classiques
et traditionnels

1 - Philharmonie Chostakovitch
   (Grande Salle)
2 - Cirque (p. 134)
3 - Théâtre Alexandrinski
4 - Théâtre Mariinski (p. 134)

BALLET, OPÉRA ET MUSIQUE CLASSIQUE

Perspective Nevski

Philharmonie Chostakovitch (Grande Salle)

Большой зал Филармонии им. Д.Д. Шостаковича
Entrée de la salle :
Italianskaïa oulitsa 9 (I7)
Billetterie : Mikhaïlovskaïa oulitsa 2
M° Gostiny Dvor
☎ 571 8333 (box office)
Billetterie : t. l. j. 11h-15h et 16h-19h30
Cartes de paiement acceptées.

Foyer de l'orchestre philharmonique de Saint-Pétersbourg, cette salle jouit d'une réputation méritée. Musique symphonique, musique de chambre, récitals lyriques… le programme est très varié. De nombreux artistes étrangers sont invités à s'y produire tout au long de l'année.

Théâtre Alexandrinski

Александринский Театр
Plochtchad Ostrovskovo 2 (I8)
M° Gostiny Dvor
☎ 312 1545
http://en.alexandrinsky.ru
Billetterie : t. l. j. 12h-14h et 15h-19h.

Habituellement dévolu à l'art dramatique, ce très beau théâtre construit par Rossi (1832) ouvre de temps en temps sa scène à la danse classique, en particulier au moment des nuits blanches. L'occasion d'admirer le lieu et d'y voir *Le Lac des cygnes* ou *Casse-Noisette,* ballets souvent interprétés par la troupe du théâtre Mikhaïlovsky.

ET LE FOLKLORE ?

Vous rêvez de Cosaques effectuant la danse du sabre, de belles brunes, drapées dans des jupes à volants, susurrant des mélodies nostalgiques au son des violons ? Vous allez être déçu… Ce genre de folklore, si fortement ancré dans l'imaginaire collectif, n'a rien d'authentique. Il est même complètement caricatural, et, de ce fait, inscrit au programme d'établissements éminemment touristiques, volontairement « oubliés » dans ce guide. Mais si vous y tenez absolument, vous pouvez toujours essayer un dîner-spectacle au **Saint-Pétersbourg** (lun.-sam. 21h-22h), naberejnaïa Kanala Griboïedova 5 (H7), M° Nevski prospekt, ☎ 314 4947, ou au **Troïka** (show à 20h30), Zagorodny prospekt 27 (D4), M° Vladimirskaïa, ☎ 713 2999.

Teatr Mouzikalnoï Komedii

Театр Музыкальной комедии
Italianskaïa oulitsa 13 (I7)
M° Nevski Prospekt
☎ 570 5316
Billetterie : t. l. j. 11h-15h et 16h-18h.

Le petit théâtre propose de très belles comédies musicales et opérettes que vous pourrez suivre même si vous ne parlez pas le russe parfaitement (*La Veuve joyeuse, Chicago, Rêves de tango…*). Les enfants et jeunes adolescents ont également leurs spectacles en matinée le week-end (s'y prendre à l'avance car c'est souvent complet).

Dom Kotchnevoï

Дом Кочневой
Naberejnaïa reki Fontanki 41 (I8)
M° Gostiny Dvor
☎ 310 2987
Billetterie : lun.-ven. 14h-19h.

MAIS AUSSI

À retrouver dans le chapitre Visiter :
• Brodiatchaïa Sabaka, Art Podval (p. 47)
• Moukha Tsokotoukha (p. 52)
• Café-restaurant Arfa (p. 65).

Cette salle de concerts moins connue organise d'excellents spectacles plus confidentiels : formations de musique de chambre, récitals lyriques, concertistes… à des prix bien moindres que dans les salles de renom.

Place des Arts

Théâtre Mikhaïlovsky ou Maly (ex-Moussorgski)

Театр им. М.П. Муссоргского
Plochtchad Isskoustv 1 (H7)
M° Gostiny Dvor
☎ 595 4305
www.mikhailovsky.ru
Billetterie : t. l. j. 10h-21h.

Tout comme le précédent, le « petit théâtre » possède un répertoire d'opéras et de ballets interprétés par sa propre troupe. Montés avec nettement moins de moyens que ceux du Mariinski, les spectacles sont de qualité inégale. Mais ici les billets sont beaucoup moins chers et vous êtes presque toujours assuré de trouver des places.

Du côté de chez Pouchkine

Kapella Glinka

Капелла им. М.И. Глинки
Naberejnaïa reki Moïki 20 (H7)
M° Nevski Prospekt
☎ 314 1058
Billetterie : t. l. j. 12h-15h et 16h-19h.

La plus ancienne salle de concerts de Saint-Pétersbourg compte à demeure un chœur et un orchestre de renom international, dont le répertoire s'étend de la musique baroque aux compositeurs du XXe s. Ses concerts sont très appréciés des mélomanes et le nombre de places est limité. Pendant les nuits blanches, des spectacles sont souvent donnés dans la cour de la Kapella.

Du palais d'Hiver au palais d'Été

Théâtre de l'Ermitage

Эрмитажный Театр
Dvorstovaïa naberejnaïa 34 (H6)
M° Nevski Prospekt
Billets en vente dans les kiosques et les hôtels.

Des nuits blanches à la reprise de la saison musicale, le ravissant théâtre construit par Quarenghi sous le règne de Catherine II accueille les spectacles de différentes compagnies de la ville, principalement du Mariinski et de la Philharmonie. Les performances sont de grande qualité mais il y a peu de places et celles-ci ne sont pas numérotées : arrivez en avance !

Du jardin d'Été au jardin de Tauride

La cathédrale de Smolny

Смольный собор
Plochtchad Rastrelli 1 (F3)
M° Tchernychevskaïa
☎ 710 3159
Billetterie : jeu.-mar. 11h-18h.

Cette très belle église a transformé son intérieur en une magnifique salle de concerts blanche aux murs épurés. Au sein de l'ensemble Smolny (voir p. 85), la cathédrale joue un rôle important dans la vie culturelle de Saint-Pétersbourg en accueillant régulièrement des festivals de musique classique et de chœurs de très grande qualité avec une acoustique exceptionnelle.

Entre Moïka et canal Griboïedov

Conservatoire Rimski-Korsakov

Консерватория
им.Н.А.Римского-Корсакова
Teatralnaïa plochtchad 3 (G8)
M° Sennaïa Plochtchad ou Sadovaïa
☎ 312 2519
Billetterie : 11h-14h30 et 15h30-19h.

Le très réputé conservatoire Rimski-Korsakov est un établissement d'enseignement supérieur de musique. C'est aussi une grande salle de concerts où les plus grands concertistes et orchestres du monde se produisent. Pour les amateurs de musique classique.

Théâtre Mariinski

Мариинский театр
Teatralnaïa plochtchad 1 (C4)
M° Sadovaïa
☎ 326 4141
Billetterie : t. l. j. 11h-19h
Cartes de paiement acceptées
Pour connaître le programme pendant votre séjour :
www.mariinsky.ru/en

L'ancien Kirov continue à être la meilleure salle de spectacles d'opéra et de ballet de la ville. Le bouillonnant Valery Gergiev, qui en assure la direction artistique depuis 1996, a entrepris de faire revivre les classiques russes et a considérablement renouvelé le répertoire. Rançon du succès : il est fréquemment en tournée avec une partie de la troupe. Mais quel que soit l'opéra, le récital ou le ballet – c'est ici que l'école de danse russe a vu le jour (voir p. 28) – auquel vous assisterez dans ce joli théâtre à l'italienne, vous serez conquis.

Salle de Concert du Théâtre Mariinski

Концертный зал
Мариинского театра
Oulitsa Dekabristov 37 (C4)
M° Sadovaïa ou Sennaïa Plochtchad
Billetterie : t. l. j. 11h-14h et 15h-19h.

C'est dans les anciens ateliers des décors du théâtre Mariinski que le maestro Valery Gergiev a décidé de créer une salle de concert moderne. La salle de 1 100 places, conçue par l'architecte français Xavier Fabre, a ouvert ses portes en 2007 et compte parmi les meilleures acoustiques du monde. C'est aussi à un Français, Daniel Kern, que l'on doit l'orgue magnifique installé en 2009. Vous pourrez y écouter l'orchestre symphonique du Mariinski dirigé par Gergiev à des prix beaucoup plus accessibles qu'au Mariinski.

CIRQUE ET MARIONNETTES

Perspective Nevsk

Théâtre des Marionnettes

Театр марионеток Е.С. Деммени
Nevski prospekt 52 (I7)
M° Gostiny Dvor
☎ 571 2156
Billetterie : t. l. j. 10h30-14h15 et 15h15-18h.

Fondé en 1918, le seul théâtre professionnel de marionnettes du pays possède un répertoire de quinze pièces, parmi lesquelles *Gulliver au pays des Lilliputiens,* d'après Jonathan Swift, *Le Malade imaginaire* d'après Molière, ou encore *Don Quichotte,* d'après Cervantès. Même si vous ne comprenez pas le russe, vous saisirez l'intrigue et vous serez sans doute ravi par les spectacles, qui sont très bien faits. En semaine, l'endroit est envahi par les écoliers : le spectacle est aussi dans la salle !

Place des Arts

Cirque

Цирк
Naberejnaïa reki Fontanki 3 (I7)
M° Gostiny Dvor
☎ 570 5390 ou 5411
• Billetterie : t. l. j. 11h-19h ; tickets en vente jusqu'à 1h avant le spectacle
• Planning des spectacles affiché près de la billetterie ; en général : en semaine à 19h, sam. à 15h et 19h, dim. à 13h et 17h ; durée du spectacle : 2h30.

Le cirque d'État occupe un bâtiment circulaire construit en 1877, et sa troupe propose un spectacle dans la grande tradition du genre : trapézistes, jongleurs, clowns, dresseurs d'ours et d'otaries… Certains adorent, d'autres détestent, mais

1 - JFC Jazz Club
2 - Teatr Mouzikalnoï Komedii
3 - Jazz Philharmonic Hall

us n'aurez pas de surprises
bonnes ou mauvaises – quant
u contenu.

Du jardin d'Été au jardin de Tauride

olchoï Teatr oukol

льшой Театр Кукол
ulitsa Nekrassova 10 (E3)
° Maïakovskaïa
273 6672
illetterie : t. l. j.
0h30-18h.

e théâtre de marionnettes
environ trois cents places
opose des spectacles extra-
dinaires. Normalement des-
nés aux plus petits, ils sont
llement bien faits que les
ultes y trouvent également
ur compte. Divers types de
arionnettes sont utilisés et
spectacle est si captivant
'on en oublie les acteurs
i manipulent les marion-
ttes alors qu'ils sont pré-
nts sur scène.

JAZZ

Du palais d'Hiver au palais d'Été

ateau-Jazz : azz Club Kvadrat

жазовый Пароход : Джаз-
уб Квадрат

Embarquement face
à l'Ermitage, quai
de la Neva (Zimniaïa
Kanavka, Dvortsovaïa
naberejnaïa 32 ; H6)
• Billetterie dans les
théâtres de la ville ou sur
l'embarcadère ; fonctionne
de juin à sept. ☎ 380 8050
• Concerts mer.-sam. (départ
20h), dim. (départ 16h) ;
pour les concerts pendant
l'ouverture des ponts,
se renseigner.

Choisissez votre camp : vous
achetez votre billet pour le pont
supérieur où l'on danse ou pour
le pont inférieur. On peut cependant circuler entre les deux. Une
belle soirée en perspective, mais
attention, le nombre de places
est limité...

Du jardin d'Été au jardin de Tauride

JFC Jazz Club

Chpalernaïa oulitsa 33 (E3)
M° Tchernytchevskaïa
☎ 272 9850
T. l. j. à partir de 19h.

Créé « par des musiciens pour
des musiciens », ce club fait
une sérieuse concurrence

au Jazz Philharmonic Hall.
L'ambiance y est plus décontractée et la petite salle d'une
cinquantaine de places est
souvent remplie au double de
sa capacité lors des « concerts-
événements »... Sur la scène :
des musiciens russes, parfois
étrangers, et, au moins une fois
par mois, d'autres sonorités de
la world music. La décoration
est signée Dmitri Charazov,
qui a réalisé la couverture de
nombreux albums.

De la place Sennaïa à la place Vosstaniïa

Jazz Philharmonic Hall

Джаз Филармоник холл
Zagorodny prospekt 27 (D4)
M° Vladimirskaïa
☎ 764 8565
Billetterie : t. l. j. 14h-20h.

Exclusivement consacrée au
jazz, cette « maison » très
sérieuse abrite deux salles : la
Grande Salle (*Bolchoï zal*),
salle de spectacle traditionnelle
où les concerts se déroulent dans
une ambiance quasi religieuse,
et la salle Duke Ellington, plus
proche du club avec ses petites
tables et ses lumières tamisées,
réservée, elle, à des formations
plus petites.

A а = a
Б б = b
В в = v
Г г = g (dur)
Д д = d
Е е = ié
Ё ё = io
Ж ж = j

И и = i
Й й = ille
К к = k
Л л = l
М м = m
Н н = n
О о = o
П п = p
Р р = r (roulé)

С с = s
Т т = t
У у = ou
Ф ф = f
Х х = kh (*jota* espagnole)
Ц ц = ts
Ч ч = tch
Ш ш = ch
Щ щ = chtch

Ъ ъ = signe dur (durcit la consonne précédente)
Ы ы = y (i dur, entre i et ou)
Ь ь = signe mou (mouille la consonne précédente)
Э э = è
Ю ю = iou
Я я = ia

EXPRESSIONS USUELLES

Attention : **осторожно** astarojna
Au revoir :
до свидания da svidania
Bonjour :
здравствуйте zdrastvouitié
Bonsoir :
Bon soir : **вечер** viétchère
Matin : **утро** outra
Soir : **вечер** viétchère
Je m'appelle… :
меня зовут minia zavout
Je ne comprends pas :
я не понимаю ia nié panimaiou
Je ne parle pas le russe :
я не говорю по-русски ia nié
gavariou po rousski
Je voudrais (fém.) :
хотел(а) бы ia khatiel(a) bi
Excusez-moi : **простите** prastitié
Merci : **спасибо** spassiba
Non : **нет** niet
Oui : **да** da
Parlez-vous le français/l'anglais ? :
вы говорите
по-французски/английски ?
vi gavaritié pa frantzouski/
angliski ?
S'il vous plaît :
пожалуйста pajalousta

ESPACE ET TEMPS

Aujourd'hui : **сегодня** sévodnia
Demain : **завтра** zavtra
Hier : **вчера** vchtéra
Loin : **далеко** daleko
Maintenant : **сейчас** seïtchass
Où : **где** gdié
Proche : **близко** bliska
Quand : **когда** kagda
Tard : **поздно** pozdna
Tôt : **рано** ranna
Tout droit : **прямо** priama
Heure : **час** tchass
Lundi : **понедельник** panédielnik
Mardi : **вторник** vtornik
Mercredi : **среда** sréda
Jeudi : **четверг** tchetvieok
Vendredi : **пятница** piantnitsa
Samedi : **суббота** soubota
Dimanche :
воскресенье vasscréssenié

LES NOMBRES

Zéro : **ноль** nol
Un : **один** adin
Deux : **два** dva
Trois : **три** tri
Quatre : **четыре** tchitirié
Cinq : **пять** piat

Six : **шесть** chest
Sept : **семь** siem
Huit : **восемь** vossim
Neuf : **девять** deviat
Dix : **десять** deciat
Onze : **одиннадцать** adinatsat
Douze : **двенадцать** dviénatsat
Vingt : **двадцать** dvatssat
Trente : **тридцать** tritssat
Quarante : **сорок** sorok
Cinquante : **пятьдесят** pitdissiat
Soixante : **шестьдесят** chestdissiat
Soixante-dix :
семьдесят siemdissiat
Quatre-vingts :
восемьдесят vossiemdissiat
Quatre-vingt-dix :
девяносто divinosta
Cent : **сто** sto
Mille : **тысяча** tissitcha

AU RESTAURANT

Addition : **счет** chiott
Assiette : **тарелка** tarielka
Bière : **пиво** piva
Boissons : **напитки** napitki
Café : **кофе** kofié
Couteau : **нож** noj
Crème glacée :
мороженое marojnoïé
Cuillère : **ложка** lojka
Eau minérale (gazeuse) :
минеральная вода (с газом)
minéralnaia vada (s gazam)
Fourchette : **вилка** vilka
Fromage : **сыр** sir
Fruits : **фрукты** froukti
Gâteau : **пирог** pirog
Jus de fruits : **сок** sok
Légumes : **овощи** ovochtchi
Menu : **меню** meniou
Pain : **хлеб** khlièb
Poisson : **рыба** riba
Poivre : **перец** piérets
Poulet : **курица** kouritsa
Sel : **соль** sol
Sucre : **сахар** sakhar
Thé : **чай** tchaï
Verre : **стакан** stakan
Viande : **мясо** miassa
Vin : **вино** vina

SHOPPING

Appareil photo :
фотоаппарат foto aparat
Ambre : **янтарь** iantar
Bijouterie :
ювелирный магазин
iouvélirni magazine

Bon marché : **дешевый** diéchovi
Chapeau : **шляпа** chliapa
Chaussures : **обувь** obouv
Cher : **дорогой** daragoï
Combien cela vaut-il ? :
сколько это стоит ?
Sloka éta stoït ?
Coton : **хлопок** khlopok
Cuir, peau : **кожа** koja
Disque/vinyle : **диск** disk /
пластинка plastinka
Fourrures : **меха** mekha
Grand : **большой** balchoï
Jouets : **игрушки** igrouchki
Journal : **газета** gaziéta
Laine : **шерсть** chersst
Librairie : **книжный магазин**
knijni magazine
Livre : **книга** kniga
Lunettes : **очки** otchki
Marché : **рынок** rinok
Montre : **часы** tchassi
Parapluie : **зонтик** zontik
Petit : **маленький** malinki
Prix : **цена** tsena
Sac : **сумка** soumka
Soie : **шелк** cholk
Soldes : **распродажа** rasspradaja
Taille : **размер** razmier
Vêtements : **одежда** adiejda

EN VILLE

À droite : **направо** naprava
À gauche : **налево** naliéva
Arrêt (bus) : **остановка**
asstanovka
Banque : **банк** bank
Change :
обмен валюты obmien valiouti
Cimetière : **кладбище** klabdichié
Correspondance (métro) :
пересадка perisadka
Église : **церковь** tsierkov
Gare : **вокзал** vakzal
Hôpital : **больница** balnitsa
Hôtel : **гостиница** gastinitsa
Jardin : **сад** sad
Musée : **музей** mouzeï
Passage piétons :
переход perikhod
Place : **площадь** plochtchad
Police : **милиция** militsia
Poste : **почта** potchta
Quai : **набережная** nabérejnaia
Restaurant : **ресторан** restorann
Rue : **улица** oulitsa
Station : **станция** stansia
Supermarché :
универсам ouniverssam
Ticket : **билет** biliet

ères éditions revues et enrichies par **Bertrand Lauzanne.**

n originale établie par **Catherine Zerdoun,** avec la collaboration de **Jean-Baptiste Rendu.**

galement collaboré à cette édition :

ne Avignon, Evguenia Svetchkareva et Coraline Borchiellini.

ographie : Frédéric Clémençon et Aurélie Huot.

en pages : Chrystel Arnould.

eption graphique de la couverture : Thibault Reumaux.

act publicité : vhabert@hachette-livre.fr - ☎ 01 43 92 32 52.

act presse : Rachida Mazef : rmazef@hachette-livre.fr - 01 43 92 36 66.

ez-nous :

si soigneusement qu'il ait été établi, ce guide n'est pas à l'abri des changements de dernière
re, des erreurs ou omissions. Ne manquez pas de nous faire part de vos remarques.
rmez-nous aussi de vos découvertes personnelles, nous accordons la plus grande importance
ourrier de nos lecteurs :
des *Un grand week-end*, Hachette Tourisme, 43 quai de Grenelle – 75905 Paris Cedex 15
ail : **weekend@hachette-livre.fr**

dit photographique

érieur

olas Edwige : p. 12 (ht d., b. g.), 13 (ht d., c. g.), 14 (ht d., c. b.), 15 (c. g.), 16 (ht g.), 17 (c. g.), 19, 20
d.), 21, 22 (ht d.), 23(ht d.), 24, 25, 26 (ht d., b.), 28 (c. b.), 30 (ht d., b. d.), 31 (c.), 32, 33 (c. g.), 34, 35
d.), 36 (ht d., b.), 37, 42 (d.), 43 (c.), 44, 45 (b.), 46 (b.), 47 (ht), 48, 49 (c. d., b. g.), 50, 51 (ht d., c. g.),
53 (c., b. d.), 54, 55 (c. g, b. g., b. d.), 56 (b. d.), 57 (b. g., b. d.), 58, 59 (.), 63 (ht d., c. g.), 64, 65 (ht, b.
66, 67, 68 (c.), 70, 71 (ht, b. d.), 72, 73, 74, 75, 76, 77, 78 (ht), 79, 80, 81 (ht, b. g.), 82, 83, 84, 85, 86,
88, 89, 98 (ht d., c.), 101 (c. d.), 102 (ht d., c. d.), 110 (ht d.), 112, 113 (ht, b. g.), 114 (ht g., ht d.),
(c. g., b. d.), 116 (ht d.), 117, 118, 120 (ht g., c. b.), 121 (c. d.), 122 (ht g.), 124 (ht), 125, 128 (c. d.),
2, 135 (ht d. et g.).

ôme Plon : p. 1, 2, 3, 4, 5 (b. g.), 6 (ht d.), 7 (ht g., c. d.), 8, 12 (ht g.), 13 (b. d.), 16 (b. d.), 22 (ht g.,
.), 23 (c. d., b. g.), 27 (c. g.), 29 (b. d.), 36 (ht g.), 38, 43 (b. g.), 45 (c.), 47 (b. g.), 51 (b. d.), 53 (ht g.), 55
d.), 56 (ht g.), 57 (ht, c. d.), 59 (c. d.), 60, 61 (ht g., b. g.), 62 (b. d.), 65 (c. g.), 68 (ht), 69 (ht, c. d.), 71 (c.
78 (c.), 81 (ht g.), 90, 92, 94 (ht g., c. d.), 95, 97 (ht d., c. d., c. b.), 98 (c. g., b. d.), 102 (ht g.), 104, 106
d., b. g.), 107, 110 (ht g., b. g.), 111, 116 (ht g.), 119 (b. d.), 120 (ht d.), 121 (c. g.), 122 (ht d.), 123, 124
g.), 126, 128 (ht g.), 129, 130 (ht), 131 (ht g.).

trice Hauser : p. 5 (ht d.), 6 (ht g., b. d.), 7 (ht d., c. g., b. d.), 14 (ht g.), 15 (b. d.), 16 (ht d.), 17 (ht d.,
d.), 18, 26 (ht g.), 27 (ht d., b. d.), 28 (ht d.), 33 (ht. d.), 42 (b. g.), 45 (ht d.), 46 (ht), 49 (ht g.), 61 (c. d.),
(b. g.), 63 (c. d., c. b.), 69 (b. g.), 93, 94 (ht d., b. g.), 97 (ht g.), 98 (ht g.), 101 (ht g.), 103, 108 (ht g.),
3 (c. g.), 114 (b. d.), 115 (ht d.), 116 (b.), 119 (ht d.), 121 (ht g.), 122 (b. d.), 128 (ht d., c. g.), 130 (b. g.),
1 (ht d., c. c.), 135 (c.).

rtrand Lauzanne : p. 59 (ht), 99, 101 (ht d.), 102 (c. g.), 106 (ht g., c. d.), 108 (ht d., b. d.), 109, 113 (c. d.).

hotothèque Hachette : p. 15 (ht d.), 20 (ht g., b. d.), 29 (ht d., c. g.), 30 (ht g.), 31 (ht), 35 (ht d., c. g.),
9 (c. b.).

ouverture, quatrième de couverture et rabat avant

rôme Plon à l'exception du visuel principal © **Adriano Schena/Tips/Photononstop.**

lustrations

irginia Pulm

Édité par Hachette-Livre (43, quai de Grenelle, 75905 Paris cedex 15)
Imprimé par Polygraf (Capajevova 44, 08199 Presov, Slovaquie)
Achevé d'imprimer : octobre 2012
ISBN : 978-2-01-245253-4 – 24/5253/0
Dépôt légal : octobre 2012 – Collection N°44 – Édition : 01

UN GRAND WEEK-END

weekend@hachette-livre.fr
www.facebook.com/GuidesUnGrandWeekend